Britannicus

Première de couverture : © Pascal Victor / ArtComArt.
Deuxième de couverture : [h] © Pacome Poirier / Wikispectacle ; [b] © Pascal Victor / ArtComArt.
Troisième de couverture : [h, g] © Araldo de Luca / Corbis ; [h, d] © Hoberman / UIG / Bridgeman Giraudon ; [b, g] © Comédie Française, Paris / Josse / Leemage ; [b, d] © Benoite Fanton / Wikispectacle.
Page 140 : © Rue des Archives / Tal.

170 bis, boulevard du Montparnasse, 75680 Paris cedex 14

ISBN 978-2-7011-6461-8
ISSN 2104-9610

CLASSICOLYCÉE

Britannicus

RACINE

Dossier par Jennifer Ruimi
Agrégée de lettres modernes

BELIN ■ GALLIMARD

Sommaire

Pour entrer dans l'œuvre 6

Dédicace 9
Préface de 1670 11
Préface de 1675-1697 17

Acte I 23
Arrêt sur lecture 1 39

Acte II 45
Arrêt sur lecture 2 65

Acte III 71
Arrêt sur lecture 3 90

Acte IV 95
Arrêt sur lecture 4 112

Acte V 117
Arrêt sur lecture 5 133

Le tour de l'œuvre en 9 fiches

Fiche 1. Racine en 19 dates 140
Fiche 2. L'œuvre dans son contexte 141
Fiche 3. La structure de l'œuvre 142
Fiche 4. Les grands thèmes de l'œuvre 146
Fiche 5. La tragédie 148
Fiche 6. Représenter *Britannicus* 150
Fiche 7. Le classicisme 152
Fiche 8. L'histoire romaine dans *Britannicus* 154
Fiche 9. Citations 156

Groupements de textes

Groupement 1. Les crimes de Néron 158
Groupement 2. Le témoin caché au théâtre 165
Questions sur les groupements de textes 177

Vers l'écrit du Bac

Corpus. Figures du pouvoir 178
Questions sur le corpus et travaux d'écriture 185

Repères historiques 186

Fenêtres sur... 189

Des ouvrages à lire, des mises en scène
et des films à voir, des sites Internet à consulter

Glossaire 191

Pour entrer dans l'œuvre

La première représentation de *Britannicus* a lieu le vendredi 13 décembre 1669 à l'Hôtel de Bourgogne. La pièce de Racine est très attendue après le succès d'*Andromaque* deux ans auparavant. D'autant que, pour cette nouvelle tragédie, l'auteur s'est inspiré de l'histoire romaine, domaine jusqu'ici réservé à son rival, Corneille.
Pourtant, le succès est mitigé: les critiques sont vives et la pièce est très vite retirée de l'affiche. Indigné par cet échec, Racine rédige alors une préface dans laquelle il prend la défense de sa pièce. À peine un an après la première représentation, il publie *Britannicus* qu'il dédie au duc de Chevreuse, gendre du ministre de Louis XIV, Colbert. Grâce à l'influence de ces protecteurs, la pièce est rejouée plusieurs fois et rencontre enfin le succès espéré.
Dans cette tragédie, Racine s'intéresse au moment où le jeune empereur romain, Néron, bascule dans la tyrannie. Le dramaturge souhaite ainsi faire le portrait, trouble et ambigu, de ce

qu'il appelle lui-même « un monstre naissant ». Il dresse face à Néron une autre figure criminelle, Agrippine, la mère de l'empereur, qui a fait éliminer tous ses ennemis politiques et qui se voit progressivement écartée du pouvoir par son fils. Entre ces deux monstres, il place un couple de victimes innocentes : Britannicus, prêt à renoncer au trône pour aimer Junie librement, et Junie, promise à Britannicus mais dont Néron est épris.
Rivalité politique et rivalité amoureuse sont donc au cœur de la pièce. Racine montre ainsi les effets destructeurs de la passion et de la jalousie et invite à s'interroger sur les dérives du pouvoir. Il fait de Néron un personnage complexe, donnant aux acteurs interprétant le rôle l'occasion de s'illustrer, comme l'ont fait Jean Cocteau ou Robert Hirsch dans les années 1950 et 1960.
Depuis, la pièce est régulièrement représentée, continuant d'inspirer de nombreux metteurs en scène et d'émouvoir les spectateurs.

À MONSEIGNEUR LE DUC DE CHEVREUSE[1]

MONSEIGNEUR,

Vous serez peut-être étonné de voir votre nom à la tête de cet ouvrage. Et si je vous avais demandé la permission de vous l'offrir, je doute si[2] je l'aurais obtenue. Mais ce serait être en quelque sorte ingrat, que de cacher plus longtemps au monde
5 les bontés dont vous m'avez toujours honoré. Quelle apparence[3] qu'un homme qui ne travaille que pour la gloire, se puisse taire[4] d'une protection aussi glorieuse que la vôtre? Non, Monseigneur, il m'est trop avantageux que l'on sache que mes amis mêmes ne vous sont pas indifférents, que vous
10 prenez part à tous mes ouvrages, et que vous m'avez procuré l'honneur de lire celui-ci devant un homme[5] dont toutes les heures sont précieuses. Vous fûtes témoin avec quelle pénétration d'esprit il jugea l'économie de la pièce[6], et combien l'idée qu'il s'est formée d'une excellente tragédie, est au-delà de tout
15 ce que j'en ai pu concevoir. Ne craignez pas, Monseigneur,

---

1. Il s'agit du gendre de Jean-Baptiste Colbert (1619-1683), ministre du roi Louis XIV. Il a reçu, comme Racine, une éducation janséniste au couvent de Port-Royal.
2. Je doute si : je me demande si.
3. Apparence : vraisemblance ; ici, comprendre : « Comment se pourrait-il... ».
4. Se puisse taire : puisse cacher.
5. Un homme : il s'agit de Colbert, principal ministre de Louis XIV, qui a permis à Racine de recevoir plusieurs fois de l'argent de la part du roi pour récompenser le succès de ses œuvres.
6. L'économie de la pièce : la composition de la pièce.

que je m'engage plus avant, et que n'osant le louer[1] en face, je m'adresse à vous pour le louer avec plus de liberté. Je sais qu'il serait dangereux de le fatiguer de ses louanges. Et j'ose dire que cette même modestie, qui vous est commune avec lui, n'est
20 pas un des moindres liens qui vous attachent l'un à l'autre. La modération n'est qu'une vertu ordinaire, quand elle ne se rencontre qu'avec des qualités ordinaires. Mais qu'avec toutes les qualités et du cœur et de l'esprit, qu'avec un jugement qui, ce semble, ne devrait être le fruit que de l'expérience de plusieurs
25 années, qu'avec mille belles connaissances que vous ne sauriez cacher à vos amis particuliers, vous ayez encore cette sage retenue que tout le monde admire chez vous, c'est sans doute une vertu rare en un siècle où l'on fait vanité[2] des moindres choses. Mais je me laisse emporter insensiblement à la tentation de
30 parler de vous. Il faut qu'elle soit bien violente, puisque je n'ai pu y résister dans une lettre où je n'avais autre dessein que de vous témoigner avec combien de respect je suis,

MONSEIGNEUR,

Votre très humble et très obéissant serviteur,

RACINE.

---

1. **Le louer** : exprimer mon admiration pour lui.
2. **L'on fait vanité** : l'on se glorifie.

Préface de 1670

De tous les ouvrages que j'ai donnés au public, il n'y en a point qui m'ait attiré plus d'applaudissements ni plus de censeurs[1] que celui-ci. Quelque soin que j'aie pris pour travailler cette tragédie, il semble qu'autant que je me suis efforcé de la rendre bonne, autant de certaines gens se sont efforcés de la décrier. Il n'y a point de cabale[2] qu'ils n'aient faite, point de critique dont ils ne se soient avisés. Il y en a qui ont pris même le parti de Néron contre moi. Ils ont dit que je le faisais trop cruel. Pour moi je croyais que le nom seul de Néron faisait entendre quelque chose de plus que cruel. Mais peut-être qu'ils raffinent sur son histoire[3], et veulent dire qu'il était honnête homme dans ses premières années. Il ne faut qu'avoir lu Tacite pour savoir que s'il a été quelque temps un bon empereur, il a toujours été un très méchant homme. Il ne s'agit point dans ma tragédie des affaires du dehors. Néron est ici dans son particulier et dans sa famille. Et ils me dispenseront de leur rapporter tous les passages, qui pourraient bien aisément leur prouver que je n'ai point de réparation à lui faire[4].

D'autres ont dit au contraire que je l'avais fait trop bon. J'avoue que je ne m'étais pas formé l'idée d'un bon homme en la personne de Néron. Je l'ai toujours regardé comme un

---

1. **Censeurs** : critiques.
2. **Cabale** : entreprise destinée à faire échouer une pièce de théâtre, le plus souvent par des réactions bruyantes et négatives pendant la représentation.
3. **Raffinent sur son histoire** : vont plus loin dans leurs recherches au sujet de son histoire.
4. **De réparation à lui faire** : à reconnaître que j'ai des torts envers lui.

monstre. Mais c'est ici un monstre naissant. Il n'a pas encore mis le feu à Rome. Il n'a pas tué sa mère, sa femme, ses gouverneurs. À cela près il me semble qu'il lui échappe assez de
25 cruautés, pour empêcher que personne ne le méconnaisse.

Quelques-uns ont pris l'intérêt de Narcisse, et se sont plaints que j'en eusse fait un très méchant homme et le confident de Néron. Il suffit d'un passage pour leur répondre. Néron, dit Tacite, porta impatiemment la mort de Narcisse, parce que cet
30 affranchi avait une conformité merveilleuse avec les vices du prince encore cachés. *Cujus abditis adhuc vitiis mire congruebat*[1].

Les autres se sont scandalisés que j'eusse choisi un homme aussi jeune que Britannicus pour le héros d'une tragédie. Je leur ai déclaré dans la préface d'*Andromaque*[2] les sentiments
35 d'Aristote sur le héros de la tragédie, et que bien loin d'être parfait, il faut toujours qu'il ait quelque imperfection. Mais je leur dirai encore ici qu'un jeune prince de dix-sept ans, qui a beaucoup de cœur, beaucoup d'amour, beaucoup de franchise et beaucoup de crédulité, qualités ordinaires d'un jeune
40 homme, m'a semblé très capable d'exciter la compassion. Je n'en veux pas davantage.

Mais, disent-ils, ce prince n'entrait que dans sa quinzième année lorsqu'il mourut. On le fait vivre, lui et Narcisse, deux ans plus qu'ils n'ont vécu. Je n'aurais point parlé de cette objec-
45 tion, si elle n'avait été faite avec chaleur par un homme[3], qui s'est donné la liberté de faire régner vingt ans un empereur qui n'en a régné que huit: quoique ce changement soit bien plus considérable dans la chronologie, où l'on suppute[4] les temps par les années des empereurs.

---

1. ***Cujus abditis adhuc vitiis mire congruebat***: citation de l'historien latin Tacite (v. 55-120 ap. J.-C.) extraite des *Annales* (XIII, 1) et qui est traduite à la fin de la phrase précédente.
2. ***Andromaque***: tragédie de Racine représentée la première fois en 1667.
3. **Un homme**: il s'agit du dramaturge Corneille (1606-1684). Racine critique ici les incohérences chronologiques d'une pièce de ce dernier, *Héraclius* (1647).
4. **L'on suppute**: l'on compte.

50 Junie ne manque pas non plus de censeurs. Ils disent que d'une vieille coquette nommée Junia Silana, j'en ai fait une jeune fille très sage. Qu'auraient-ils à me répondre, si je leur disais que cette Junie est un personnage inventé, comme l'Émilie de *Cinna*, comme la Sabine d'*Horace*[1] ? Mais j'ai à leur 55 dire que s'ils avaient bien lu l'histoire, ils auraient trouvé une Junia Calvina, de la famille d'Auguste, sœur de Silanus à qui Claudius avait promis Octavie. Cette Junie était jeune, belle, et, comme dit Sénèque : *festivissima omnium puellarum*[2]. Elle aimait tendrement son frère, *et leurs ennemis*, dit Tacite, *les* 60 *accusèrent tous deux d'inceste, quoiqu'ils ne fussent coupables que d'un peu d'indiscrétion*[3]. Si je la représente plus retenue qu'elle n'était, je n'ai pas ouï dire qu'il nous fût défendu de rectifier les mœurs d'un personnage, surtout lorsqu'il n'est pas connu.

L'on trouve étrange qu'elle paraisse sur le théâtre, après la 65 mort de Britannicus. Certainement la délicatesse est grande de ne pas vouloir qu'elle dise en quatre vers assez touchants qu'elle passe chez Octavie[4]. Mais, disent-ils, cela ne valait pas la peine de la faire revenir. Un autre l'aurait pu raconter pour elle. Ils ne savent pas qu'une des règles du théâtre est de ne mettre en 70 récit que les choses qui ne se peuvent passer en action ; et que tous les Anciens[5] font venir souvent sur la scène des acteurs, qui n'ont autre chose à dire, sinon qu'ils viennent d'un endroit, et qu'ils s'en retournent en un autre.

Tout cela est inutile, disent mes censeurs. La pièce est finie 75 au récit de la mort de Britannicus, et l'on ne devrait point écouter le reste. On l'écoute pourtant, et même avec autant d'attention qu'aucune fin de tragédie. Pour moi j'ai toujours compris

---

1. *Cinna* et *Horace* sont des tragédies de Corneille, créées respectivement en 1641 et 1640.
2. ***Festivissima omnium puellarum*** : citation du philosophe latin Sénèque (Ier siècle ap. J.-C.) qui signifie « la plus joyeuse de toutes les jeunes filles ».
3. La phrase se trouve dans les *Annales* de Tacite (XII, 4).
4. Allusion à une scène supprimée après la publication de cette préface.
5. **Anciens** : auteurs de l'Antiquité.

que la tragédie étant l'imitation d'une action complète, où plusieurs personnes concourent[1], cette action n'est point finie
80 que l'on ne sache[2] en quelle situation elle laisse ces mêmes personnes. C'est ainsi que Sophocle en use presque partout. C'est ainsi que dans l'*Antigone* il emploie autant de vers à représenter la fureur d'Hémon et la punition de Créon après la mort de cette princesse, que j'en ai employé aux imprécations[3] d'Agrip-
85 pine, à la retraite de Junie, à la punition de Narcisse, et au désespoir de Néron, après la mort de Britannicus.

Que faudrait-il faire pour contenter des juges si difficiles? La chose serait aisée pour peu qu'on voulût trahir le bon sens. Il ne faudrait que s'écarter du naturel pour se jeter dans l'ex-
90 traordinaire. Au lieu d'une action simple, chargée de peu de matière, telle que doit être une action qui se passe en un seul jour, et qui s'avançant par degrés vers sa fin, n'est soutenue que par les intérêts, les sentiments, et les passions des personnages, il faudrait remplir cette même action de quantité d'inci-
95 dents qui ne se pourraient passer qu'en un mois, qu'un grand nombre de jeux de théâtre d'autant plus surprenants qu'ils seraient moins vraisemblables, d'une infinité de déclamations où l'on ferait dire aux acteurs tout le contraire de ce qu'ils devraient dire. Il faudrait par exemple représenter quelque
100 héros ivre, qui se voudrait faire haïr de sa maîtresse de gaieté de cœur, un Lacédémonien[4] grand parleur, un conquérant qui ne débiterait que des maximes d'amour, une femme qui donnerait des leçons de fierté à des conquérants. Voilà sans doute de quoi faire récrier tous ces messieurs. Mais que dirait
105 cependant le petit nombre de gens sages auxquels je m'efforce

---

1. **Où plusieurs personnes concourent**: à laquelle plusieurs personnes participent.
2. **Que l'on ne sache**: avant que l'on ne sache.
3. **Imprécations**: malédictions.
4. **Lacédémonien**: habitant de Lacédémone, lieu où, selon la légende, on s'exprime par phrases très brèves. Racine associe deux idées contraires pour critiquer les pièces de Corneille souvent jugées invraisemblables.

de plaire ? De quel front oserais-je me montrer, pour ainsi dire, aux yeux de ces grands hommes de l'Antiquité que j'ai choisis pour modèles ? Car, pour me servir de la pensée d'un Ancien[1], voilà les véritables spectateurs que nous devons nous proposer, et nous devons sans cesse nous demander : Que diraient Homère et Virgile s'ils lisaient ces vers ? Que dirait Sophocle s'il voyait représenter cette scène ? Quoi qu'il en soit, je n'ai point prétendu empêcher qu'on ne parlât contre mes ouvrages. Je l'aurais prétendu inutilement. *Quid de te alii loquantur ipsi videant*, dit Cicéron, *sed loquentur tamen*[2].

Je prie seulement le lecteur de me pardonner cette petite préface que j'ai faite pour lui rendre raison de ma tragédie. Il n'y a rien de plus naturel que de se défendre quand on se croit injustement attaqué. Je vois que Térence même semble n'avoir fait des prologues, que pour se justifier contre les critiques d'un vieux poète malintentionné, *malevoli veteris poetae*[3], et qui venait briguer[4] des voix contre lui jusqu'aux heures où l'on représentait ses comédies.

Occepta est agi :
Exclamat, etc.[5]

On me pouvait faire une difficulté qu'on ne m'a point faite. Mais ce qui est échappé aux spectateurs pourra être remarqué

---

1. **Un Ancien** : il s'agit de Longin, philosophe grec du IIIe siècle, à qui l'on a pendant très longtemps attribué le traité *Du sublime*, XIV, 1-2.
2. ***Quid de te alii loquantur ipsi videant, sed loquentur tamen*** : citation de l'auteur latin Cicéron (Ier siècle av. J.-C.) extraite de *La République* (VI, 16) et qui signifie « ce que les autres diront de toi ; c'est leur affaire ; mais à coup sûr, ils diront quelque chose ».
3. ***Malevoli veteris poetae*** : expression latine que Racine traduit par « vieux poète malintentionné ». On y a souvent vu une allusion déguisée à Corneille.
4. **Briguer** : tâcher d'obtenir.
5. ***Occepta est agi / Exclamat, etc.*** : citation du poète latin Térence (IIe siècle av. J.-C.) extraite du prologue de *L'Eunuque* et qui signifie « à peine a-t-on commencé à jouer, qu'il s'écrie... ».

par les lecteurs. C'est que je fais entrer Junie dans les vestales[1], où, selon Aulu-Gelle, on ne recevait personne au-dessous de
130 six ans, ni au-dessus de dix. Mais le peuple prend ici Junie sous sa protection et j'ai cru qu'en considération de sa naissance, de sa vertu, et de son malheur, il pouvait la dispenser de l'âge prescrit par les lois, comme il a dispensé de l'âge pour le consulat[2], tant de grands hommes qui avaient mérité ce privilège.

135 Enfin je suis très persuadé qu'on me peut faire bien d'autres critiques, sur lesquelles je n'aurais d'autre parti à prendre que celui d'en profiter à l'avenir. Mais je plains fort le malheur d'un homme qui travaille pour le public. Ceux qui voient le mieux nos défauts, sont ceux qui les dissimulent le plus volontiers. Ils
140 nous pardonnent les endroits qui leur ont déplu, en faveur de ceux qui leur ont donné du plaisir. Il n'y a rien au contraire de plus injuste qu'un ignorant. Il croit toujours que l'admiration est le partage des gens qui ne savent rien. Il condamne toute une pièce pour une scène qu'il n'approuve pas. Il s'attaque
145 même aux endroits les plus éclatants pour faire croire qu'il a de l'esprit. Et pour peu que nous résistions à ses sentiments, il nous traite de présomptueux qui ne veulent croire personne, et ne songe pas qu'il tire quelquefois plus de vanité d'une critique fort mauvaise, que nous n'en tirons d'une assez bonne pièce de
150 théâtre.

Homine imperito numquam quidquam injustius.[3]

---

1. Vestales: dans la mythologie latine, prêtresses de la déesse du foyer, Vesta, chargées d'entretenir le feu sacré dans le temple, et vouées à la chasteté.
2. Consulat: charge politique dans la Rome antique.
3. *Homine imperito numquam quidquam injustius*: citation du poète latin Térence extraite des *Adelphes* (v. 99) et qui signifie «rien n'est plus injuste qu'un ignorant».

Préface de 1675-1697

Voici celle de mes tragédies que je puis dire que j'ai le plus travaillée. Cependant j'avoue que le succès ne répondit pas d'abord à mes espérances. À peine elle parut sur le théâtre, qu'il s'éleva quantité de critiques qui semblaient la devoir
5 détruire. Je crus moi-même que sa destinée serait à l'avenir moins heureuse que celle de mes autres tragédies. Mais enfin il est arrivé de cette pièce ce qui arrivera toujours des ouvrages qui auront quelque bonté. Les critiques se sont évanouies. La pièce est demeurée. C'est maintenant celle des miennes que
10 la cour et le public revoient le plus volontiers. Et si j'ai fait quelque chose de solide, et qui mérite quelque louange, la plupart des connaisseurs demeurent d'accord que c'est ce même *Britannicus*.

À la vérité j'avais travaillé sur des modèles qui m'avaient
15 extrêmement soutenu dans la peinture que je voulais faire de la cour d'Agrippine et de Néron. J'avais copié mes personnages d'après le plus grand peintre de l'Antiquité, je veux dire d'après Tacite. Et j'étais alors si rempli de la lecture de cet excellent historien, qu'il n'y a presque pas un trait éclatant
20 dans ma tragédie, dont il ne m'ait donné l'idée. J'avais voulu mettre dans ce recueil un extrait des plus beaux endroits que j'ai tâché d'imiter. Mais j'ai trouvé que cet extrait tiendrait presque autant de place que la tragédie. Ainsi le lecteur trouvera bon que je le renvoie à cet auteur, qui aussi bien est entre
25 les mains de tout le monde. Et je me contenterai de rapporter ici quelques-uns de ses passages sur chacun des personnages que j'introduis sur la scène.

Pour commencer par Néron, il faut se souvenir qu'il est ici dans les premières années de son règne, qui ont été heureuses
30 comme l'on sait. Ainsi il ne m'a pas été permis de le représenter aussi méchant qu'il a été depuis. Je ne le représente pas, non plus, comme un homme vertueux : car il ne l'a jamais été. Il n'a pas encore tué sa mère, sa femme, ses gouverneurs : mais il a en lui les semences de tous ces crimes. Il commence à vouloir
35 secouer le joug. Il les hait les uns et les autres, et il leur cache sa haine sous de fausses caresses, *Factus natura velare odium fallacibus blanditiis*[1]. En un mot c'est ici un monstre naissant, mais qui n'ose encore se déclarer, et qui « cherche des couleurs[2] à ses méchantes actions », *Hactenus Nero flagitiis et sceleribus vela-*
40 *menta quaesivit*[3]. Il ne pouvait souffrir[4] Octavie, « princesse d'une bonté et d'une vertu exemplaires », *fato quodam, an quia praevalent illicita. Metuebaturque ne in stupra feminarum illustrium prorumperet*[5].

Je lui donne Narcisse pour confident. J'ai suivi en cela Tacite
45 qui dit que « Néron porta impatiemment la mort de Narcisse, parce que cet affranchi avait une conformité merveilleuse avec les vices du prince encore cachés » ; *Cujus abditis adhuc vitiis mire congruebat*[6]. Ce passage prouve deux choses. Il prouve et que Néron était déjà vicieux, mais qu'il dissimulait ses vices, et
50 que Narcisse l'entretenait dans ses mauvaises inclinations.

---

1. ***Factus natura velare odium fallacibus blanditiis***: citation de l'historien latin Tacite extraite des *Annales* (XIV, 56) et qui signifie « formé par la nature à masquer sa haine sous de trompeuses caresses ».
2. **Couleurs** : prétextes.
3. ***Hactenus Nero flagitiis et sceleribus velamenta quaesivit*** : citation de Tacite extraite des *Annales* (XIII, 47) et qui signifie « Néron chercha jusqu'alors à masquer ses turpitudes et ses crimes ».
4. **Souffrir** : supporter.
5. ***Fato quodam [...] prorumperet*** : citation de Tacite extraite des *Annales* (XIII, 12) qui signifie « soit par fatalité, soit par l'attrait du fruit défendu ; et l'on craignait qu'il ne se mît à déshonorer les femmes de haute naissance ».
6. ***Cujus abditis adhuc vitiis mire congruebat*:** citation de Tacite que Racine traduit à la ligne précédente.

J'ai choisi Burrhus pour opposer un honnête homme à cette peste de cour. Et je l'ai choisi plutôt que Sénèque. En voici la raison. « Ils étaient tous deux gouverneurs de la jeunesse de Néron, l'un pour les armes, l'autre pour les lettres. Et ils étaient fameux, Burrhus pour son expérience dans les armes et pour la sévérité de ses mœurs », *militaribus curis et severitate morum*; « Sénèque pour son éloquence et le tour agréable de son esprit », *Seneca praeceptis eloquentiae et comitate honesta*. « Burrhus, après sa mort, fut extrêmement regretté à cause de sa vertu », *Civitati grande desiderium ejus mansit per memoriam virtutis*[1].

Toute leur peine était de résister à l'orgueil et à la férocité d'Agrippine, *quae cunctis malae dominationis cupidinibus flagrans, habebat in partibus Pallantem*[2]. Je ne dis que ce mot d'Agrippine: car il y aurait trop de choses à en dire. C'est elle que je me suis surtout efforcé de bien exprimer, et ma tragédie n'est pas moins la disgrâce d'Agrippine que la mort de Britannicus. « Cette mort fut un coup de foudre pour elle, et il parut (dit Tacite) par sa frayeur et par sa consternation qu'elle était aussi innocente de cette mort qu'Octavie. Agrippine perdait en lui sa dernière espérance, et ce crime lui en faisait craindre un plus grand. » *Sibi supremum auxilium ereptum, et parricidii exemplum intelligebat*[3].

L'âge de Britannicus était si connu, qu'il ne m'a pas été permis de le représenter autrement que comme un jeune prince, qui avait beaucoup de cœur, beaucoup d'amour, et beaucoup de franchise, qualités ordinaires d'un jeune homme. « Il avait quinze ans, et on dit qu'il avait beaucoup d'esprit, soit qu'on dise vrai, ou que ses malheurs aient fait croire cela de

---

1. Les trois phrases latines sont des citations de Tacite extraites des *Annales* (XIII, 2 et XIV, 5) et traduites précédemment par Racine.

2. ***Quae cunctis [...] Pallantem***: citation de Tacite extraite des *Annales* (XIII, 2) et qui signifie « qui, brûlant de toutes les passions d'un pouvoir malfaisant, avait mis Pallas dans ses intérêts ».

3. ***Sibi supremum [...] intelligebat***: citation de Tacite extraite des *Annales* (XIII, 16) et qui signifie « elle avait compris qu'elle avait perdu son dernier appui et que la voie du parricide était ouverte ».

lui, sans qu'il ait pu en donner des marques. » *Neque segnem ei fuisse indolem ferunt, sive verum, seu periculis commendatus*
80 *retinuit famam sine experimento*[1].

Il ne faut pas s'étonner s'il n'a auprès de lui qu'un aussi méchant homme que Narcisse. « Car il y avait longtemps qu'on avait donné ordre qu'il n'y eût auprès de Britannicus, que des gens qui n'eussent ni foi, ni honneur. » *Nam ut proximus*
85 *quisque Britannico, neque fas neque fidem pensi haberet, olim provisum erat*[2].

Il me reste à parler de Junie. Il ne la faut pas confondre avec une vieille coquette qui s'appelait Junia Silana. C'est ici une autre Junie que Tacite appelle Junia Calvina, de la
90 famille d'Auguste, sœur de Silanus à qui Claudius avait promis Octavie. Cette Junie était jeune, belle, et comme dit Sénèque, *festivissima omnium puellarum*[3]. « Son frère et elle s'aimaient tendrement, et leurs ennemis (dit Tacite) les accusèrent tous deux d'inceste, quoiqu'ils ne fussent coupables que d'un peu
95 d'indiscrétion. Elle vécut jusqu'au règne de Vespasien. »

Je la fais entrer dans les vestales, quoique selon Aulu-Gelle on n'y reçût jamais personne au-dessous de six ans, ni au-dessus de dix. Mais le peuple prend ici Junie sous sa protection. Et j'ai cru qu'en considération de sa naissance, de sa vertu, et de son
100 malheur, il pouvait la dispenser de l'âge prescrit par les lois, comme il a dispensé de l'âge pour le consulat tant de grands hommes qui avaient mérité ce privilège.

---

1. ***Neque segnem [...] sine experimento***: citation de Tacite extraite des *Annales* (XII, 26) et traduite par Racine à la phrase précédente.
2. ***Nam ut [...] erat***: citation de Tacite extraite des *Annales* (XIII, 15) et traduite par Racine à la phrase précédente.
3. ***Festivissima omnium puellarum***: citation de Sénèque qui signifie « la plus joyeuse de toutes les jeunes filles ».

BRITANNICUS

Personnages

NÉRON, *empereur, fils d'Agrippine.*

BRITANNICUS, *fils de l'Empereur Claudius.*

AGRIPPINE, *veuve de Domitius Ænobarbus, père de Néron, et en secondes noces veuve de l'empereur Claudius.*

JUNIE, *amante de Britannicus.*

BURRHUS, *gouverneur de Néron.*

NARCISSE, *gouverneur de Britannicus.*

ALBINE, *confidente d'Agrippine.*

GARDES.

La scène est à Rome, dans une chambre du palais de Néron.

ACTE I

Scène 1

AGRIPPINE, ALBINE

ALBINE

Quoi ! tandis que Néron s'abandonne au sommeil,
Faut-il que vous veniez attendre son réveil ?
Qu'errant dans le palais sans suite et sans escorte
La mère de César[1] veille seule à sa porte ?
5 Madame, retournez dans votre appartement.

AGRIPPINE

Albine, il ne faut pas s'éloigner un moment.
Je veux l'attendre ici. Les chagrins[2] qu'il me cause,
M'occuperont assez tout le temps[3] qu'il repose.
Tout ce que j'ai prédit n'est que trop assuré.
10 Contre Britannicus Néron s'est déclaré.
L'impatient Néron cesse de se contraindre,
Las[4] de se faire aimer il veut se faire craindre.
Britannicus le gêne, Albine, et chaque jour
Je sens que je deviens importune[5] à mon tour.

---

1. **César** : terme employé pour désigner les empereurs romains. Il s'agit ici de Néron.
2. **Chagrins** : tourments.
3. **Tout le temps** : pendant.
4. **Las** : fatigué.
5. **Importune** : gênante.

ALBINE

15 Quoi ? vous à qui Néron doit le jour qu'il respire ?
Qui l'avez appelé de si loin à l'empire ?
Vous qui déshéritant le fils de Claudius[1],
Avez nommé César l'heureux Domitius[2] ?
Tout lui parle, Madame, en faveur d'Agrippine.
20 Il vous doit son amour.

AGRIPPINE

Il me le doit, Albine.
Tout, s'il est généreux[3], lui prescrit cette loi ;
Mais tout, s'il est ingrat, lui parle contre moi.

ALBINE

S'il est ingrat, Madame ? Ah ! toute sa conduite
Marque dans son devoir une âme trop instruite.
25 Depuis trois ans entiers qu'a-t-il dit, qu'a-t-il fait,
Qui ne promette à Rome un empereur parfait ?
Rome depuis deux ans par ses soins gouvernée
Au temps de ses consuls[4] croit être retournée,
Il la gouverne en père. Enfin Néron naissant
30 A toutes les vertus d'Auguste vieillissant.

AGRIPPINE

Non, non, mon intérêt ne me rend point injuste ;
Il commence, il est vrai, par où finit Auguste.
Mais crains, que l'avenir détruisant le passé,
Il ne finisse ainsi qu'Auguste a commencé.

---

1. **Le fils de Claudius** : Britannicus.
2. **Domitius** : nom de famille de Néron.
3. **S'il est généreux** : s'il montre sa noblesse d'âme.
4. **Au temps de ses consuls** : au temps de la République romaine. Période comprise entre la fin de la monarchie (509 av. J.-C.) et le début de l'empire (27 av. J.-C.), pendant laquelle tous les citoyens romains, quel que soit leur rang social, prenaient part aux décisions politiques.

35 Il se déguise en vain. Je lis sur son visage
Des fiers[1] Domitius l'humeur triste, et sauvage.
Il mêle avec l'orgueil, qu'il a pris dans leur sang,
La fierté des Nérons, qu'il puisa dans mon flanc.
Toujours la tyrannie a d'heureuses prémices[2].
40 De Rome pour un temps Caïus fut les délices,
Mais sa feinte bonté se tournant en fureur,
Les délices de Rome en devinrent l'horreur.
Que m'importe, après tout, que Néron plus fidèle
D'une longue vertu laisse un jour le modèle ?
45 Ai-je mis dans sa main le timon[3] de l'État,
Pour le conduire au gré du peuple et du sénat[4] ?
Ah ! Que de la patrie il soit, s'il veut, le père[5].
Mais qu'il songe un peu plus qu'Agrippine est sa mère.
De quel nom cependant pouvons-nous appeler
50 L'attentat[6] que le jour vient de nous révéler ?
Il sait, car leur amour ne peut être ignorée,
Que de Britannicus Junie est adorée.
Et ce même Néron que la vertu conduit,
Fait enlever Junie au milieu de la nuit.
55 Que veut-il ? Est-ce haine, est-ce amour qui l'inspire ?
Cherche-t-il seulement le plaisir de leur nuire ?
Ou plutôt n'est-ce point que sa malignité[7]
Punit sur eux l'appui que je leur ai prêté[8] ?

ALBINE

Vous leur appui, Madame ?

---

1. **Fiers** : cruels, sauvages.
2. **Prémices** : commencements.
3. **Timon** : gouvernail.
4. **Sénat** : dans la Rome antique, assemblée qui détenait l'essentiel du pouvoir politique sous la République et qui perdit de son importance sous l'Empire.
5. **Père** : Néron portait le titre de « Père de la patrie ».
6. **Attentat** : acte hors-la-loi, crime.
7. **Malignité** : méchanceté.
8. **Punit sur eux l'appui que je leur ai prêté** : les punit parce que je les soutiens.

AGRIPPINE

Arrête, chère Albine.

60 Je sais, que j'ai moi seule avancé leur ruine,
Que du trône, où le sang l'a dû faire monter
Britannicus par moi s'est vu précipiter.
Par moi seule éloigné de l'hymen[1] d'Octavie
Le frère de Junie abandonna la vie,
65 Silanus, sur qui Claude avait jeté les yeux,
Et qui comptait Auguste au rang de ses aïeux.
Néron jouit de tout, et moi pour récompense
Il faut qu'entre eux et lui je tienne la balance,
Afin que quelque jour par une même loi
70 Britannicus la tienne entre mon fils et moi.

ALBINE

Quel dessein[2] !

AGRIPPINE

Je m'assure un port dans la tempête.
Néron m'échappera si ce frein ne l'arrête.

ALBINE

Mais prendre contre un fils tant de soins superflus ?

AGRIPPINE

Je le craindrais bientôt, s'il ne me craignait plus.

ALBINE

75 Une injuste frayeur vous alarme peut-être.
Mais si Néron pour vous n'est plus ce qu'il doit être,
Du moins son changement ne vient pas jusqu'à nous,
Et ce sont des secrets entre César et vous.

---

1. **Hymen** : mariage, union.
2. **Dessein** : projet.

Quelques titres nouveaux que Rome lui défère[1],
80 Néron n'en reçoit point qu'il ne donne à sa mère.
Sa prodigue[2] amitié ne se réserve rien.
Votre nom est dans Rome aussi saint que le sien.
À peine parle-t-on de la triste Octavie.
Auguste votre aïeul honora moins Livie.
85 Néron devant sa mère a permis le premier
Qu'on portât les faisceaux couronnés de laurier[3].
Quels effets[4] voulez-vous de sa reconnaissance ?

AGRIPPINE

Un peu moins de respect, et plus de confiance.
Tous ces présents Albine, irritent mon dépit[5]
90 Je vois mes honneurs croître, et tomber mon crédit[6].
Non, non, le temps n'est plus que Néron jeune encore
Me renvoyait les vœux d'une cour, qui l'adore ;
Lorsqu'il se reposait sur moi de tout l'État,
Que mon ordre au palais assemblait le sénat,
95 Et que derrière un voile, invisible, et présente
J'étais de ce grand corps l'âme toute-puissante.
Des volontés de Rome alors mal assuré,
Néron de sa grandeur n'était point enivré.
Ce jour, ce triste jour frappe encor ma mémoire,
100 Où Néron fut lui-même ébloui de sa gloire,
Quand les ambassadeurs de tant de rois divers
Vinrent le reconnaître au nom de l'univers.
Sur son trône avec lui j'allais prendre ma place.
J'ignore quel conseil prépara ma disgrâce :

---

1. **Défère** : accorde.
2. **Prodigue** : généreuse.
3. **Faisceaux couronnés de lauriers** : baguettes liées entre elles et surmontées d'une hache, symbole de puissance chez les Romains ; le laurier est un symbole de victoire.
4. **Effets** : preuves.
5. **Présents** : dons ; **dépit** : colère.
6. **Crédit** : autorité.

105 Quoi qu'il en soit, Néron d'aussi loin qu'il me vit
Laissa sur son visage éclater son dépit.
Mon cœur même en conçut un malheureux augure[1].
L'ingrat d'un faux respect colorant son injure,
Se leva par avance, et courant m'embrasser,
110 Il m'écarta du trône, où je m'allais placer.
Depuis ce coup fatal[2], le pouvoir d'Agrippine
Vers sa chute, à grands pas, chaque jour s'achemine.
L'ombre seule m'en reste, et l'on n'implore plus
Que le nom de Sénèque, et l'appui de Burrhus.

ALBINE

115 Ah ! si de ce soupçon votre âme est prévenue,
Pourquoi nourrissez-vous le venin qui vous tue ?
Daignez avec César vous éclaircir du moins.

AGRIPPINE

César ne me voit plus, Albine, sans témoins.
En public, à mon heure, on me donne audience[3].
120 Sa réponse est dictée, et même son silence.
Je vois deux surveillants, ses maîtres, et les miens,
Présider l'un ou l'autre à tous nos entretiens.
Mais je le poursuivrai d'autant plus qu'il m'évite.
De son désordre, Albine, il faut que je profite.
125 J'entends du bruit, on ouvre, allons subitement
Lui demander raison de cet enlèvement.
Surprenons, s'il se peut, les secrets de son âme.
Mais quoi ? Déjà Burrhus sort de chez lui ?

---

1. **Augure** : présage.
2. **Fatal** : funeste, qui annonce un malheur voulu par le destin.
3. **On me donne audience** : on me reçoit, on m'accorde un entretien.

Scène 2

AGRIPPINE, BURRHUS, ALBINE

BURRHUS

Madame,
Au nom de l'empereur j'allais vous informer
130 D'un ordre, qui d'abord a pu vous alarmer,
Mais qui n'est que l'effet d'une sage conduite,
Dont César a voulu que vous soyez instruite.

AGRIPPINE

Puisqu'il le veut, entrons, il m'en instruira mieux.

BURRHUS

César pour quelque temps s'est soustrait à nos yeux[1].
135 Déjà par une porte au public moins connue,
L'un et l'autre consul[2] vous avaient prévenue,
Madame. Mais souffrez[3] que je retourne exprès…

AGRIPPINE

Non, je ne trouble point ses augustes[4] secrets.
Cependant voulez-vous qu'avec moins de contrainte
140 L'un et l'autre une fois nous nous parlions sans feinte ?

BURRHUS

Burrhus pour le mensonge eut toujours trop d'horreur.

AGRIPPINE

Prétendez-vous longtemps me cacher l'empereur ?

---

1. **S'est soustrait à nos yeux** : s'est retiré.
2. **Consul** : magistrat.
3. **Souffrez** : veuillez accepter.
4. **Augustes** : respectables.

Ne le verrai-je plus qu'à titre d'importune?
Ai-je donc élevé si haut votre fortune[1],
145 Pour mettre une barrière entre mon fils et moi?
Ne l'osez-vous laisser un moment sur sa foi[2]?
Entre Sénèque et vous disputez-vous la gloire
À qui m'effacera plus tôt de sa mémoire?
Vous l'ai-je confié pour en faire un ingrat?
150 Pour être sous son nom les maîtres de l'État?
Certes plus je médite, et moins je me figure
Que vous m'osiez compter pour votre créature[3];
Vous dont j'ai pu laisser vieillir l'ambition
Dans les honneurs obscurs de quelque légion[4],
155 Et moi qui sur le trône ai suivi mes ancêtres,
Moi fille, femme, sœur, et mère de vos maîtres.
Que prétendez-vous donc? Pensez-vous que ma voix
Ait fait un empereur pour m'en imposer trois?
Néron n'est plus enfant. N'est-il pas temps qu'il règne?
160 Jusqu'à quand voulez-vous que l'empereur vous craigne?
Ne saurait-il rien voir, qu'il n'emprunte vos yeux?
Pour se conduire enfin n'a-t-il pas ses aïeux?
Qu'il choisisse s'il veut, d'Auguste, ou de Tibère.
Qu'il imite s'il peut, Germanicus mon père.
165 Parmi tant de héros je n'ose me placer.
Mais il est des vertus que je lui puis tracer.
Je puis l'instruire au moins, combien sa confidence
Entre un sujet et lui doit laisser de distance.

---

1. **Fortune**: gloire.
2. **Ne l'osez-vous laisser un moment sur sa foi?**: ne voulez-vous pas laisser un moment Néron maître de sa propre conduite?
3. **Que vous m'osiez compter pour votre créature**: que vous osiez me considérer comme votre protégée.
4. **Légion**: armée.

BURRHUS

Je ne m'étais chargé dans cette occasion,
70 Que d'excuser César d'une seule action.
Mais puisque sans vouloir que je le justifie,
Vous me rendez garant[1] du reste de sa vie,
Je répondrai, Madame, avec la liberté
D'un soldat, qui sait mal farder[2] la vérité.
75 Vous m'avez de César confié la jeunesse,
Je l'avoue, et je dois m'en souvenir sans cesse.
Mais vous avais-je fait serment de le trahir,
D'en faire un empereur, qui ne sût qu'obéir ?
Non. Ce n'est plus à vous qu'il faut que j'en réponde.
80 Ce n'est plus votre fils. C'est le maître du monde.
J'en dois compte, Madame, à l'empire romain,
Qui croit voir son salut[3], ou sa perte en ma main.
Ah ! si dans l'ignorance il le fallait instruire,
N'avait-on que Sénèque, et moi pour le séduire ?
85 Pourquoi de sa conduite éloigner les flatteurs ?
Fallait-il dans l'exil chercher des corrupteurs[4] ?
La cour de Claudius en esclaves fertile,
Pour deux que l'on cherchait en eût présenté mille,
Qui tous auraient brigué l'honneur de l'avilir[5].
90 Dans une longue enfance ils l'auraient fait vieillir.
De quoi vous plaignez-vous, Madame ? On vous révère.
Ainsi que par César, on jure par sa mère.
L'empereur, il est vrai, ne vient plus chaque jour
Mettre à vos pieds l'empire, et grossir votre cour.

---

1. **Garant** : responsable.
2. **Farder** : maquiller, déguiser.
3. **Salut** : délivrance.
4. **Exil** : Burrhus fait ici référence à l'exil dont avait été frappé Sénèque, l'autre tuteur de Néron ; **corrupteurs** : hommes capables de détourner Néron du droit chemin.
5. **Avilir** : déshonorer.

195 Mais le doit-il, Madame ? Et sa reconnaissance
Ne peut-elle éclater que dans sa dépendance ?
Toujours humble, toujours le timide Néron
N'ose-t-il être Auguste, et César que de nom ?
Vous le dirai-je enfin ? Rome le justifie.
200 Rome à trois affranchis[1] si longtemps asservie,
À peine respirant du joug[2] qu'elle a porté,
Du règne de Néron compte sa liberté.
Que dis-je ? La vertu semble même renaître.
Tout l'empire n'est plus la dépouille d'un maître.
205 Le peuple au champ de Mars[3] nomme ses magistrats ;
César nomme les chefs sur la foi des soldats.
Thraséas au sénat, Corbulon dans l'armée,
Sont encore innocents, malgré leur renommée.
Les déserts autrefois peuplés de sénateurs
210 Ne sont plus habités que par leurs délateurs[4].
Qu'importe que César continue à nous croire,
Pourvu que nos conseils ne tendent qu'à sa gloire ?
Pourvu que dans le cours d'un règne florissant
Rome soit toujours libre, et César tout-puissant ?
215 Mais, Madame, Néron suffit pour se conduire.
J'obéis, sans prétendre à l'honneur de l'instruire.
Sur ses aïeux sans doute il n'a qu'à se régler.
Pour bien faire, Néron n'a qu'à se ressembler :
Heureux, si ses vertus l'une à l'autre enchaînées
220 Ramènent tous les ans ses premières années !

---

1. **Affranchis** : esclaves à qui on accorde la liberté. Burrhus fait référence à Narcisse, Pallas et Calliste, trois affranchis occupant des fonctions administratives à la cour de l'empereur Claude.
2. **Joug** : esclavage (sens figuré) ; pièce de bois qui sert à guider un attelage (sens propre).
3. **Champ de Mars** : plaine romaine consacrée au dieu de la guerre (Mars), où se tenaient des événements politiques et militaires.
4. **Délateurs** : accusateurs.

AGRIPPINE

Ainsi sur l'avenir n'osant vous assurer
Vous croyez que sans vous Néron va s'égarer.
Mais vous, qui jusqu'ici content de votre ouvrage,
Venez de ses vertus nous rendre témoignage,
225 Expliquez-nous, pourquoi devenu ravisseur
Néron de Silanus fait enlever la sœur ?
Ne tient-il qu'à marquer de cette ignominie[1]
Le sang de mes aïeux, qui brille dans Junie ?
De quoi l'accuse-t-il ? Et par quel attentat
230 Devient-elle en un jour criminelle d'État ?
Elle, qui sans orgueil jusqu'alors élevée,
N'aurait point vu Néron, s'il ne l'eût enlevée,
Et qui même aurait mis au rang de ses bienfaits
L'heureuse liberté de ne le voir jamais.

BURRHUS

235 Je sais que d'aucun crime elle n'est soupçonnée.
Mais jusqu'ici César ne l'a point condamnée,
Madame. Aucun objet ne blesse ici ses yeux.
Elle est dans un palais tout plein de ses aïeux[2].
Vous savez que les droits qu'elle porte avec elle
240 Peuvent de son époux faire un prince rebelle,
Que le sang de César ne se doit allier
Qu'à ceux à qui César le veut bien confier ;
Et vous-même avouerez qu'il ne serait pas juste,
Qu'on disposât sans lui de la nièce d'Auguste.

AGRIPPINE

245 Je vous entends. Néron m'apprend par votre voix
Qu'en vain Britannicus s'assure sur mon choix[3].

---

1. **Ignominie** : grand déshonneur.
2. **Aïeux** : ancêtres.
3. **S'assure sur mon choix** : compte sur moi.

Hélas ! de quelle horreur ses timides esprits
À ce nouveau spectacle auront été surpris !
295 Enfin on me l'enlève. Une loi trop sévère
Va séparer deux cœurs qu'assemblait leur misère.
Sans doute on ne veut pas que mêlant nos douleurs
Nous nous aidions l'un l'autre à porter nos malheurs.

AGRIPPINE

Il suffit. Comme vous je ressens vos injures[1].
300 Mes plaintes ont déjà précédé vos murmures[2].
Mais je ne prétends pas qu'un impuissant courroux[3]
Dégage ma parole, et m'acquitte envers vous.
Je ne m'explique point. Si vous voulez m'entendre,
Suivez-moi chez Pallas, où je vais vous attendre.

Scène 4

BRITANNICUS, NARCISSE

BRITANNICUS

305 La croirai-je, Narcisse ? Et dois-je sur sa foi
La prendre pour arbitre entre son fils et moi ?
Qu'en dis-tu ? N'est-ce pas cette même Agrippine,
Que mon père épousa jadis pour sa ruine,
Et qui, si je t'en crois, a de ses derniers jours
Trop lents pour ses desseins précipité le cours ?

---

1. **Vos injures** : les torts que l'on vous a faits.
2. **Murmures** : plaintes exprimant le mécontentement (sens ancien).
3. **Courroux** : colère.

NARCISSE

N'importe. Elle se sent comme vous outragée[1].
À vous donner Junie elle s'est engagée.
Unissez vos chagrins, liez vos intérêts.
Ce palais retentit en vain de vos regrets.
315 Tandis qu'on vous verra d'une voix suppliante,
Semer ici la plainte, et non pas l'épouvante,
Que vos ressentiments se perdront en discours,
Il n'en faut point douter, vous vous plaindrez toujours.

BRITANNICUS

Ah, Narcisse ! Tu sais si de la servitude[2]
320 Je prétends faire encore une longue habitude.
Tu sais si pour jamais de ma chute étonné
Je renonce à l'empire, où j'étais destiné.
Mais je suis seul encor. Les amis de mon père
Sont autant d'inconnus que glace ma misère.
325 Et ma jeunesse même écarte loin de moi
Tous ceux qui dans le cœur me réservent leur foi[3].
Pour moi depuis un an, qu'un peu d'expérience
M'a donné de mon sort la triste connaissance,
Que vois-je autour de moi, que des amis vendus
330 Qui sont de tous mes pas les témoins assidus,
Qui choisis par Néron pour ce commerce[4] infâme
Trafiquent avec lui des secrets de mon âme ?
Quoi qu'il en soit, Narcisse, on me vend tous les jours.
Il prévoit mes desseins, il entend mes discours.

1. **Outragée** : blessée.
2. **Servitude** : absence de liberté.
3. **Foi** : confiance.
4. **Ce commerce** : cette manière de se comporter.

335 Comme toi dans mon cœur il sait ce qui se passe.
Que t'en semble, Narcisse ?

NARCISSE

Ah ! Quelle âme assez basse…
C'est à vous de choisir des confidents discrets,
Seigneur, et de ne pas prodiguer[1] vos secrets.

BRITANNICUS

Narcisse, tu dis vrai. Mais cette défiance[2]
340 Est toujours d'un grand cœur la dernière science[3].
On le trompe longtemps. Mais enfin, je te crois.
Ou plutôt je fais vœu de ne croire que toi.
Mon père, il m'en souvient, m'assura de ton zèle[4].
Seul de ses affranchis tu m'es toujours fidèle.
345 Tes yeux sur ma conduite incessamment ouverts
M'ont sauvé jusqu'ici de mille écueils[5] couverts.
Va donc voir si le bruit de ce nouvel orage
Aura de nos amis excité[6] le courage.
Examine leurs yeux. Observe leurs discours.
350 Vois si j'en puis attendre un fidèle secours.
Surtout dans ce palais remarque avec adresse
Avec quel soin Néron fait garder la princesse.
Sache si du péril[7] ses beaux yeux sont remis,
Et si son entretien m'est encore permis.
355 Cependant de Néron je vais trouver la mère
Chez Pallas comme toi l'affranchi de mon père.
Je vais la voir, l'aigrir, la suivre, et s'il se peut
M'engager sous son nom plus loin qu'elle ne veut.

---

1. **Prodiguer** : dévoiler, divulguer.
2. **Défiance** : méfiance.
3. **Science** : connaissance.
4. **Zèle** : empressement.
5. **Écueils** : dangers.
6. **Excité** : provoqué.
7. **Péril** : danger.

Arrêt sur lecture 1

Pour comprendre l'essentiel

Un acte d'exposition

❶ L'acte I donne au spectateur les informations nécessaires à la compréhension de l'intrigue. Définissez les liens qui unissent Agrippine, Néron, Junie et Britannicus et précisez en quoi l'enlèvement de Junie a des conséquences politiques.

❷ Dans ce premier acte, Néron est absent mais les autres personnages parlent de lui. Relevez les traits de caractère de l'empereur sur lesquels ils insistent et dites en quoi leurs avis diffèrent.

❸ Pour écrire cette tragédie, Racine s'inspire de l'histoire romaine. En vous aidant des repères historiques en fin d'ouvrage (p. 186), montrez comment le dramaturge parvient, dans les deux préfaces et dans la scène 1, à évoquer les éléments historiques nécessaires à la compréhension de l'intrigue.

Les rapports de force entre les personnages

❹ Dans la scène 1, Agrippine se confie à Albine. En vous appuyant sur sa réplique des vers 88 à 114, montrez que la haine que Néron lui voue a pris naissance avant même l'enlèvement de Junie.

❺ Les rôles de Burrhus, le gouverneur de Néron, et de Narcisse, celui de Britannicus, ne sont pas encore bien définis. À l'aide d'exemples précis, montrez que le spectateur ne peut pas savoir, à l'issue du premier acte, si Burrhus et Narcisse vont aider Britannicus ou lui nuire.

❻ Agrippine est désavouée par son fils: ce dernier s'oppose en effet à l'union entre Britannicus et Junie pour laquelle elle s'était engagée. Pourtant, la mère de Néron refuse de voir ses plans contrariés. Dites en quoi cette décision inverse brutalement les rapports de force entre les personnages.

La mise en place de la tension dramatique

❼ Dès la première scène, l'affolement d'Agrippine est perceptible. Montrez-le en relevant les nombreuses phrases interrogatives, puis dites comment Albine (scène 1) et Burrhus (scène 2) cherchent à rassurer Agrippine.

❽ Dans la scène 3, Agrippine et Britannicus se rencontrent. Étudiez le registre pathétique dans la réplique du jeune homme (interjections, champ lexical de la souffrance et de la terreur) et dites en quoi ce dernier s'oppose ainsi à Agrippine.

❾ Dans la scène 4, Britannicus témoigne de sa solitude et se plaint des nombreuses trahisons dont il a été victime. Cependant, il décide d'accorder sa confiance à Narcisse. Relevez dans le texte les indices qui annoncent les conséquences tragiques de ce choix.

Rappelez-vous!

• Dans le premier acte, le dramaturge fournit les informations nécessaires au spectateur afin qu'il connaisse les ressorts de l'intrigue, les personnages de la pièce et le lieu où celle-ci se déroule. C'est ce qu'on appelle **l'acte d'exposition**.

• Les personnages d'une pièce se définissent par ce qu'ils disent ou ce que les autres personnages disent d'eux. Dans ce premier acte, **Néron et Junie sont absents**, mais le spectateur apprend à les connaître par les répliques d'Agrippine, d'Albine, de Burrhus et de Britannicus. Le fait d'entendre parler de personnages absents renforce la **curiosité du spectateur**: à la fin de l'acte I, la tension dramatique est donc à son comble.

Vers l'oral du Bac

Analyse de la scène 1 de l'acte I, v. 15-58, p. 24-25

☛ Montrer en quoi cet extrait propose un portrait ambigu de Néron

Conseils pour la lecture à voix haute

– *Britannicus* est une pièce écrite en alexandrins. Accordez une grande importance à la diction. Veillez à respecter la mélodie et la mesure de l'alexandrin : la césure, placée après la sixième syllabe, implique une pause à la lecture.
– Soyez attentif(-ve) au e muet qui n'est jamais prononcé en fin de vers mais qui l'est à l'intérieur d'un vers s'il précède une consonne.
– L'extrait comporte des enjambements. Lisez ainsi dans la continuité les vers 23 et 24 ainsi que les vers 57 et 58.

Analyse du texte

■ *Introduction*

La tragédie de Racine, *Britannicus*, s'ouvre sur un échange entre Agrippine et Albine, sa confidente. Par ce procédé, le spectateur obtient différentes informations sur l'intrigue, les enjeux de la pièce et les personnages : l'empereur Néron s'oppose à Britannicus, son demi-frère ; pour la première fois, il s'écarte de sa mère Agrippine, qui soutient Britannicus. Si Albine ne voit en Néron qu'un empereur sage, Agrippine, au contraire, révèle son inquiétude face au comportement de son fils. Dans l'extrait à étudier, Agrippine brosse en effet un portrait ambigu du jeune empereur.
Nous nous demanderons quelle idée le spectateur se fait de Néron dans cette scène d'exposition en analysant dans un premier temps les informations qui y sont révélées, puis en mettant en évidence que Néron apparaît ici sous le signe du double, avant de voir comment l'histoire romaine est mise au service de la tragédie.

Analyse guidée

I. Les informations délivrées par la scène d'exposition

a. Néron est devenu empereur grâce à Agrippine. Analysez le type de question utilisé aux vers 45 et 46 et montrez comment, à travers cette interrogation, Agrippine rappelle ce que Néron lui doit. Relevez ensuite l'antithèse qui souligne le rôle d'Agrippine dans les affaires politiques de l'empire.

b. Dans cette scène d'exposition, Agrippine révèle que Néron a fait enlever Junie et présente ce rapt comme une énigme. Montrez-le.

c. La scène d'exposition doit donner le ton de la pièce. Analysez les manifestations de l'inquiétude d'Agrippine (champ lexical des sentiments, modalité des phrases) et dites en quoi ce mauvais présage souligne la dimension tragique de la pièce.

II. Le double visage de Néron

a. Albine et Agrippine tiennent des propos contradictoires au sujet de Néron. En vous appuyant notamment sur la comparaison de Néron et d'Auguste, expliquez en quoi leurs points de vue s'opposent.

b. Agrippine ne se laisse pas duper par l'apparente bonté de Néron: elle connaît la vraie nature de son fils. Mettez-le en évidence en relevant le champ lexical de la dissimulation dans sa tirade.

c. Néron est placé sous le signe du double. Relevez toutes les figures de style qui insistent sur cet aspect (répétition, antithèse, chiasme) et qui présentent Néron comme un personnage complexe.

III. Une tragédie romaine

a. Racine s'inspire pour sa pièce de l'histoire romaine. Relevez les références au système politique romain. Vous pourrez vous appuyer sur les notes de bas de page et sur les repères historiques en fin d'ouvrage (p. 186).

b. Plusieurs ancêtres de Néron sont connus pour leur cruauté. Dites quels sont ceux évoqués dans l'extrait et montrez en quoi cette violence héréditaire annonce la suite tragique de la pièce.

c. Le spectateur qui connaît l'histoire romaine sait que Néron a été un tyran sanguinaire et qu'il a tué sa mère. Observez la ponctuation dans la dernière réplique d'Agrippine et expliquez en quoi le décalage entre ce que sait le public et ce que savent les personnages accentue l'ironie tragique.

■ *Conclusion*

Dès cette première scène, le spectateur comprend que le sujet de la pièce n'est pas tant de montrer Néron comme un tyran, mais comme un empereur encore vertueux qui devient progressivement un tyran. C'est la raison pour laquelle Racine dit dans sa préface qu'il a voulu peindre « un monstre naissant ». Les inquiétudes d'Agrippine suggèrent cependant que tout peut basculer et cette hésitation contribue à créer une atmosphère tragique. Mais la clairvoyance d'Agrippine reste obscurcie par des questionnements auxquels elle n'a pas encore de réponse : pourquoi Néron a-t-il enlevé Junie ? C'est à cette interrogation cruciale que répond la suite de l'intrigue.

Les trois questions de l'examinateur

Question 1. Quelles autres figures de confidente connaissez-vous dans le théâtre classique ? Quelle est leur fonction ?

Question 2. À quel genre d'intrigue la scène d'exposition de *Britannicus* prépare-t-elle le spectateur ?

Question 3. Vous êtes metteur en scène. Quels choix feriez-vous concernant les costumes et les décors de la pièce ? Justifiez votre réponse.

ACTE II

Scène 1

NÉRON, BURRHUS, NARCISSE, GARDES

NÉRON

N'en doutez point, Burrhus ; malgré ses injustices,
360 C'est ma mère, et je veux ignorer ses caprices.
Mais je ne prétends plus ignorer ni souffrir
Le ministre insolent qui les ose nourrir.
Pallas de ses conseils empoisonne ma mère ;
Il séduit chaque jour Britannicus mon frère,
365 Ils l'écoutent tout seul, et qui suivrait leurs pas
Les trouverait peut-être assemblés chez Pallas.
C'en est trop. De tous deux il faut que je l'écarte.
Pour la dernière fois, qu'il s'éloigne, qu'il parte :
Je le veux, je l'ordonne ; et que la fin du jour
370 Ne le retrouve pas dans Rome, ou dans ma cour.
Allez, cet ordre importe au salut de l'empire.
Vous, Narcisse, approchez. Et vous, qu'on se retire.

Scène 2

NÉRON, NARCISSE

NARCISSE

Grâces aux dieux, Seigneur, Junie entre vos mains
Vous assure aujourd'hui du reste des Romains[1].
375 Vos ennemis déchus de leur vaine espérance
Sont allés chez Pallas pleurer leur impuissance.
Mais que vois-je ? Vous-même inquiet, étonné,
Plus que Britannicus paraissez consterné.
Que présage[2] à mes yeux cette tristesse obscure,
380 Et ces sombres regards errants à l'aventure ?
Tout vous rit. La fortune obéit à vos vœux.

NÉRON

Narcisse, c'en est fait. Néron est amoureux.

NARCISSE

Vous ?

NÉRON

Depuis un moment, mais pour toute ma vie.
J'aime (que dis-je, aimer ?) j'idolâtre[3] Junie.

NARCISSE

385 Vous l'aimez ?

NÉRON

Excité d'un désir curieux
Cette nuit je l'ai vue arriver en ces lieux,

---

1. **Vous assure aujourd'hui du reste des Romains** : vous garantit aujourd'hui la protection des Romains.
2. **Présage** : annonce, prédit.
3. **Idolâtre** : voue une sorte de culte, d'adoration.

Triste, levant au ciel ses yeux mouillés de larmes,
Qui brillaient au travers des flambeaux et des armes.
Belle, sans ornements, dans le simple appareil[1]
390 D'une beauté qu'on vient d'arracher au sommeil.
Que veux-tu ? Je ne sais si cette négligence,
Les ombres, les flambeaux, les cris, et le silence,
Et le farouche[2] aspect de ses fiers ravisseurs
Relevaient de ses yeux les timides douceurs.
395 Quoi qu'il en soit, ravi d'une si belle vue,
J'ai voulu lui parler et ma voix s'est perdue ;
Immobile, saisi d'un long étonnement
Je l'ai laissé passer dans son appartement.
J'ai passé dans le mien. C'est là que solitaire
400 De son image en vain j'ai voulu me distraire.
Trop présente à mes yeux je croyais lui parler.
J'aimais jusqu'à ses pleurs que je faisais couler.
Quelquefois, mais trop tard, je lui demandais grâce.
J'employais les soupirs, et même la menace.
405 Voilà comme occupé de mon nouvel amour
Mes yeux sans se fermer ont attendu le jour.
Mais je m'en fais peut-être une trop belle image.
Elle m'est apparue avec trop d'avantage,
Narcisse, qu'en dis-tu ?

NARCISSE

Quoi, Seigneur ! croira-t-on
410 Qu'elle ait pu si longtemps se cacher à Néron ?

---

1. **Dans le simple appareil** : presque nue.
2. **Farouche** : sauvage.

NÉRON

Tu le sais bien, Narcisse. Et soit que sa colère
M'imputât le malheur qui lui ravit son frère[1],
Soit que son cœur jaloux d'une austère fierté
Enviât à nos yeux sa naissante beauté,
415 Fidèle à sa douleur, et dans l'ombre enfermée
Elle se dérobait même à sa renommée[2] ;
Et c'est cette vertu si nouvelle à la cour
Dont la persévérance irrite mon amour.
Quoi Narcisse ? Tandis qu'il n'est point de Romaine
420 Que mon amour n'honore et ne rende plus vaine,
Qui dès qu'à ses regards elle ose se fier,
Sur le cœur de César ne les vienne essayer ;
Seule dans son palais la modeste Junie
Regarde leurs honneurs comme une ignominie ;
425 Fuit, et ne daigne pas peut-être s'informer
Si César est aimable, ou bien s'il sait aimer ?
Dis-moi, Britannicus l'aime-t-il ?

NARCISSE

Quoi ! s'il l'aime,
Seigneur ?

NÉRON

Si jeune encor se connaît-il lui-même ?
D'un regard enchanteur connaît-il le poison ?

NARCISSE

430 Seigneur, l'amour toujours n'attend pas la raison.

---

1. **M'imputât le malheur qui lui ravit son frère** : me rendît responsable du malheur qui lui enleva son frère. Silanus, le frère de Junie, s'est suicidé le jour du mariage de Néron avec Octavie, celle qui lui était destinée ; voir acte I, sc. 1, v. 63 à 66.
2. **Renommée** : destinée.

N'en doutez point, il l'aime. Instruits par tant de charmes,
Ses yeux sont déjà faits à l'usage des larmes.
À ses moindres désirs il sait s'accommoder[1] ;
Et peut-être déjà sait-il persuader.

NÉRON

435 Que dis-tu ? sur son cœur il aurait quelque empire[2] ?

NARCISSE

Je ne sais. Mais, Seigneur, ce que je puis vous dire,
Je l'ai vu quelquefois s'arracher de ces lieux,
Le cœur plein d'un courroux qu'il cachait à vos yeux,
D'une cour qui le fuit pleurant l'ingratitude,
440 Las de votre grandeur, et de sa servitude,
Entre l'impatience et la crainte flottant ;
Il allait voir Junie, et revenait content.

NÉRON

D'autant plus malheureux qu'il aura su lui plaire,
Narcisse, il doit plutôt souhaiter sa colère.
445 Néron impunément[3] ne sera pas jaloux.

NARCISSE

Vous ? Et de quoi, Seigneur, vous inquiétez-vous ?
Junie a pu le plaindre et partager ses peines,
Elle n'a vu couler de larmes que les siennes.
Mais aujourd'hui, Seigneur, que ses yeux dessillés[4]
450 Regardant de plus près l'éclat dont vous brillez,

---

1. **S'accommoder** : répondre.
2. **Empire** : pouvoir, puissance.
3. **Impunément** : sans être puni.
4. **Dessillés** : ouverts (sens propre), détrompés (sens figuré).

Verront autour de vous les rois sans diadème[1],
Inconnus dans la foule, et son amant lui-même,
Attachés sur vos yeux s'honorer d'un regard
Que vous aurez sur eux fait tomber au hasard;
455 Quand elle vous verra de ce degré de gloire,
Venir en soupirant avouer sa victoire,
Maître, n'en doutez point, d'un cœur déjà charmé
Commandez qu'on vous aime, et vous serez aimé.

NÉRON

À combien de chagrins il faut que je m'apprête!
460 Que d'importunités.

NARCISSE

Quoi donc? Qui vous arrête,
Seigneur?

NÉRON

Tout. Octavie, Agrippine, Burrhus,
Sénèque, Rome entière, et trois ans de vertus.
Non que pour Octavie un reste de tendresse
M'attache à son hymen et plaigne sa jeunesse.
465 Mes yeux depuis longtemps fatigués de ses soins,
Rarement de ses pleurs daignent être témoins.
Trop heureux si bientôt la faveur d'un divorce,
Me soulageait d'un joug qu'on m'imposa par force.
Le ciel même en secret semble la condamner.
470 Ses vœux depuis quatre ans ont beau l'importuner.
Les dieux ne montrent point que sa vertu les touche.
D'aucun gage[2], Narcisse, ils n'honorent sa couche,
L'empire vainement demande un héritier.

---

1. **Les rois sans diadème**: ceux qui étaient promis au pouvoir, mais qui, comme Britannicus, en ont été écartés.
2. **Gage**: récompense.

NARCISSE

Que tardez-vous, Seigneur, à la répudier ?
L'empire, votre cœur, tout condamne Octavie.
Auguste votre aïeul soupirait pour Livie ;
Par un double divorce ils s'unirent tous deux,
Et vous devez l'empire à ce divorce heureux.
Tibère, que l'hymen plaça dans sa famille,
Osa bien à ses yeux répudier sa fille[1].
Vous seul jusques ici contraire à vos désirs
N'osez par un divorce assurer vos plaisirs.

NÉRON

Et ne connais-tu pas l'implacable[2] Agrippine ?
Mon amour inquiet déjà se l'imagine,
Qui m'amène Octavie, et d'un œil enflammé
Atteste les saints droits d'un nœud[3] qu'elle a formé ;
Et portant à mon cœur des atteintes plus rudes,
Me fait un long récit de mes ingratitudes.
De quel front[4] soutenir ce fâcheux entretien ?

NARCISSE

N'êtes-vous pas, Seigneur, votre maître et le sien ?
Vous verrons-nous toujours trembler sous sa tutelle[5] ?
Vivez, régnez pour vous. C'est trop régner pour elle.
Craignez-vous ? Mais, Seigneur, vous ne la craignez pas.
Vous venez de bannir le superbe[6] Pallas,
Pallas, dont vous savez qu'elle soutient l'audace.

NÉRON

Éloigné de ses yeux, j'ordonne, je menace,

---

1. **Répudier sa fille** : renvoyer sa fille. Il s'agit de Julie, la fille d'Auguste, que Tibère, deuxième empereur de Rome, fut contraint d'épouser, et qu'il n'aima jamais.
2. **Implacable** : qui ne peut être apaisée.
3. **Nœud** : union.
4. **Front** : hardiesse, audace.
5. **Sous sa tutelle** : sous ses ordres.
6. **Superbe** : orgueilleux.

J'écoute vos conseils, j'ose les approuver,
Je m'excite contre elle et tâche à la braver[1].
Mais (je t'expose ici mon âme toute nue)
500 Sitôt que mon malheur me ramène à sa vue,
Soit que je n'ose encor démentir le pouvoir
De ces yeux, où j'ai lu si longtemps mon devoir,
Soit qu'à tant de bienfaits ma mémoire fidèle,
Lui soumette en secret tout ce que je tiens d'elle :
505 Mais enfin mes efforts ne me servent de rien,
Mon génie[2] étonné tremble devant le sien.
Et c'est pour m'affranchir de cette dépendance
Que je la fuis partout, que même je l'offense,
Et que de temps en temps j'irrite ses ennuis[3]
510 Afin qu'elle m'évite autant que je la fuis.
Mais je t'arrête trop[4]. Retire-toi, Narcisse.
Britannicus pourrait t'accuser d'artifice[5].

NARCISSE

Non, non, Britannicus s'abandonne à ma foi.
Par son ordre, Seigneur, il croit que je vous vois,
515 Que je m'informe ici de tout ce qui le touche,
Et veut de vos secrets être instruit par ma bouche.
Impatient surtout de revoir ses amours
Il attend de mes soins ce fidèle secours.

NÉRON

J'y consens ; porte-lui cette douce nouvelle.
520 Il la verra.

NARCISSE

Seigneur, bannissez-le[6] loin d'elle.

1. **Et tâche à la braver** : et m'efforce de la défier.
2. **Génie** : caractère.
3. **J'irrite ses ennuis** : je l'exaspère.
4. **Je t'arrête trop** : je te retiens trop.
5. **Artifice** : ruse, tromperie.
6. **Bannissez-le** : éloignez-le.

NÉRON

J'ai mes raisons Narcisse, et tu peux concevoir,
Que je lui vendrai cher le plaisir de la voir.
Cependant vante-lui ton heureux stratagème[1].
Dis-lui qu'en sa faveur on me trompe moi-même,
525 Qu'il la voit sans mon ordre. On ouvre, la voici.
Va retrouver ton maître et l'amener ici.

Scène 3

NÉRON, JUNIE

NÉRON

Vous vous troublez, Madame, et changez de visage.
Lisez-vous dans mes yeux quelque triste présage ?

JUNIE

Seigneur, je ne vous puis déguiser mon erreur.
530 J'allais voir Octavie, et non pas l'empereur.

NÉRON

Je le sais bien, Madame, et n'ai pu sans envie
Apprendre vos bontés pour l'heureuse Octavie.

JUNIE

Vous, Seigneur ?

NÉRON

Pensez-vous, Madame, qu'en ces lieux
Seule pour vous connaître Octavie ait des yeux ?

1. **Stratagème** : ruse.

JUNIE

535 Et quel autre, Seigneur, voulez-vous que j'implore[1] ?
À qui demanderai-je un crime que j'ignore ?
Vous qui le punissez, vous ne l'ignorez pas.
De grâce, apprenez-moi, Seigneur, mes attentats.

NÉRON

Quoi Madame ! Est-ce donc une légère offense
540 De m'avoir si longtemps caché votre présence ?
Ces trésors dont le ciel voulut vous embellir,
Les avez-vous reçus pour les ensevelir[2],
L'heureux Britannicus verra-t-il sans alarmes[3]
Croître loin de nos yeux son amour et vos charmes ?
545 Pourquoi de cette gloire exclu jusqu'à ce jour,
M'avez-vous sans pitié relégué[4] dans ma cour ?
On dit plus : vous souffrez sans en être offensée
Qu'il vous ose, Madame, expliquer sa pensée.
Car je ne croirai point que sans me consulter
550 La sévère Junie ait voulu le flatter,
Ni qu'elle ait consenti d'aimer et d'être aimée,
Sans que j'en sois instruit que par la renommée.

JUNIE

Je ne vous nierai point, Seigneur, que ses soupirs
M'ont daigné quelquefois expliquer ses désirs[5].
555 Il n'a point détourné ses regards d'une fille,
Seul reste du débris d'une illustre[6] famille.
Peut-être il se souvient qu'en un temps plus heureux
Son père me nomma pour l'objet de ses vœux.

---

1. **Implore** : supplie.
2. **Ensevelir** : cacher (comme s'ils étaient morts).
3. **Alarmes** : inquiétudes, appréhensions.
4. **Relégué** : éloigné, mis à l'écart.
5. **M'ont daigné quelquefois expliquer ses désirs** : m'ont permis de comprendre ses désirs.
6. **Illustre** : noble.

Il m'aime. Il obéit à l'empereur son père,
560 Et j'ose dire encore, à vous, à votre mère :
Vos désirs sont toujours si conformes aux siens…

NÉRON

Ma mère a ses desseins, Madame, et j'ai les miens.
Ne parlons plus ici de Claude, et d'Agrippine.
Ce n'est point par leur choix que je me détermine.
565 C'est à moi seul, Madame, à répondre de vous ;
Et je veux de ma main vous choisir un époux.

JUNIE

Ah, Seigneur, songez-vous que toute autre alliance,
Fera honte aux Césars auteurs de ma naissance ?

NÉRON

Non, Madame, l'époux dont je vous entretiens
570 Peut sans honte assembler vos aïeux et les siens.
Vous pouvez, sans rougir, consentir à sa flamme[1].

JUNIE

Et quel est donc, Seigneur, cet époux ?

NÉRON

Moi, Madame.

JUNIE

Vous ?

NÉRON

Je vous nommerais, Madame, un autre nom,
Si j'en savais quelque autre au-dessus de Néron.
575 Oui, pour vous faire un choix, où vous puissiez souscrire[2],
J'ai parcouru des yeux la cour, Rome, et l'empire.

---

1. **Flamme** : amour.
2. **Où vous puissiez souscrire** : que vous puissiez accepter.

Plus j'ai cherché, Madame, et plus je cherche encor
En quelles mains je dois confier ce trésor:
Plus je vois que César digne seul de vous plaire
580 En doit être lui seul l'heureux dépositaire[1],
Et ne peut dignement vous confier qu'aux mains
À qui Rome a commis[2] l'empire des humains.
Vous-même consultez vos premières années.
Claudius à son fils les avait destinées,
585 Mais c'était en un temps où de l'empire entier
Il croyait quelque jour le nommer l'héritier.
Les dieux ont prononcé. Loin de leur contredire[3],
C'est à vous de passer du côté de l'empire.
En vain de ce présent ils m'auraient honoré,
590 Si votre cœur devait en être séparé;
Si tant de soins ne sont adoucis par vos charmes;
Si tandis que je donne aux veilles, aux alarmes,
Des jours toujours à plaindre, et toujours enviés,
Je ne vais quelquefois respirer à vos pieds.
595 Qu'Octavie à vos yeux ne fasse point d'ombrage[4].
Rome aussi bien que moi vous donne son suffrage,
Répudie Octavie, et me fait dénouer
Un hymen que le ciel ne veut point avouer.
Songez-y donc, Madame, et pesez en vous-même
600 Ce choix digne des soins d'un prince qui vous aime;
Digne de vos beaux yeux trop longtemps captivés,
Digne de l'univers à qui vous vous devez.

JUNIE

Seigneur, avec raison je demeure étonnée.
Je me vois dans le cours d'une même journée
605 Comme une criminelle amenée en ces lieux:

---

1. **Dépositaire**: celui à qui l'on confie le trésor (ici, Junie).
2. **Commis**: confié.
3. **De leur contredire**: de s'opposer à leur volonté.
4. **Ne fasse point d'ombrage**: ne vous cause pas d'inquiétude.

Et lorsque avec frayeur je parais à vos yeux,
Que sur mon innocence à peine je me fie,
Vous m'offrez tout d'un coup la place d'Octavie.
J'ose dire pourtant que je n'ai mérité
610 Ni cet excès d'honneur, ni cette indignité.
Et pouvez-vous, Seigneur, souhaiter qu'une fille
Qui vit presque en naissant éteindre sa famille,
Qui dans l'obscurité nourrissant sa douleur
S'est fait une vertu conforme à son malheur[1];
615 Passe subitement de cette nuit profonde
Dans un rang qui l'expose aux yeux de tout le monde;
Dont je n'ai pu de loin soutenir la clarté,
Et dont une autre enfin remplit la majesté[2]?

NÉRON

Je vous ai déjà dit que je la répudie.
620 Ayez moins de frayeur, ou moins de modestie.
N'accusez point ici mon choix d'aveuglement.
Je vous réponds de vous, consentez seulement.
Du sang dont vous sortez rappelez la mémoire,
Et ne préférez point à la solide gloire
625 Des honneurs dont César prétend vous revêtir,
La gloire d'un refus, sujet au repentir[3].

JUNIE

Le ciel connaît, Seigneur, le fond de ma pensée.
Je ne me flatte point d'une gloire insensée.
Je sais de vos présents mesurer la grandeur.
630 Mais plus ce rang sur moi répandrait de splendeur,
Plus il me ferait honte et mettrait en lumière
Le crime d'en avoir dépouillé l'héritière.

---

1. **S'est fait une vertu conforme à son malheur**: a adapté sa conduite, son attitude, à son malheur.
2. **Majesté**: fonction.
3. **Sujet au repentir**: que vous pourriez regretter.

NÉRON

C'est de ses intérêts prendre beaucoup de soin,
Madame, et l'amitié ne peut aller plus loin.
635 Mais ne nous flattons point, et laissons le mystère.
La sœur vous touche ici beaucoup moins que le frère,
Et pour Britannicus…

JUNIE

Il a su me toucher,
Seigneur, et je n'ai point prétendu m'en cacher.
Cette sincérité sans doute est peu discrète ;
640 Mais toujours de mon cœur ma bouche est l'interprète.
Absente de la cour je n'ai pas dû penser,
Seigneur, qu'en l'art de feindre il fallût m'exercer.
J'aime Britannicus. Je lui fus destinée
Quand l'empire devait suivre son hyménée[1].
645 Mais ces mêmes malheurs qui l'en ont écarté,
Ses honneurs abolis, son palais déserté,
La fuite d'une cour que sa chute a bannie,
Sont autant de liens qui retiennent Junie.
Tout ce que vous voyez conspire[2] à vos désirs,
650 Vos jours toujours sereins coulent dans les plaisirs.
L'empire en est pour vous l'inépuisable source,
Ou si quelque chagrin en interrompt la course,
Tout l'univers soigneux de les entretenir[3]
S'empresse à l'effacer de votre souvenir.
655 Britannicus est seul. Quelque ennui qui le presse
Il ne voit dans son sort que moi qui s'intéresse ;
Et n'a pour tout plaisir, Seigneur, que quelques pleurs
Qui lui font quelquefois oublier ses malheurs.

---

1. **Je lui fus destinée / Quand l'empire devait suivre son hyménée** : il devait devenir empereur après m'avoir épousée.
2. **Conspire** : s'accorde.
3. **Soigneux de les entretenir** : soucieux de vos plaisirs.

NÉRON

Et ce sont ces plaisirs, et ces pleurs que j'envie,
Que tout autre que lui me paierait de sa vie.
Mais je garde à ce prince un traitement plus doux.
Madame, il va bientôt paraître devant vous.

JUNIE

Ah, Seigneur, vos vertus m'ont toujours rassurée.

NÉRON

Je pouvais de ces lieux lui défendre l'entrée.
Mais, Madame, je veux prévenir le danger,
Où son ressentiment le pourrait engager.
Je ne veux point le perdre. Il vaut mieux que lui-même
Entende son arrêt[1] de la bouche qu'il aime.
Si ses jours vous sont chers, éloignez-le de vous
Sans qu'il ait aucun lieu de me croire jaloux.
De son bannissement prenez sur vous l'offense[2],
Et soit par vos discours, soit par votre silence,
Du moins par vos froideurs faites-lui concevoir
Qu'il doit porter ailleurs ses vœux et son espoir.

JUNIE

Moi ! Que je lui prononce un arrêt si sévère !
Ma bouche mille fois lui jura le contraire.
Quand même jusque-là je pourrais me trahir :
Mes yeux lui défendront, Seigneur, de m'obéir.

NÉRON

Caché près de ces lieux je vous verrai, Madame :
Renfermez votre amour dans le fond de votre âme.
Vous n'aurez point pour moi de langages secrets.
J'entendrai des regards que vous croirez muets.

1. **Arrêt** : décision (de rompre avec Junie).
2. **L'offense** : la responsabilité de cette décision.

Et sa perte sera l'infaillible salaire[1]
D'un geste, ou d'un soupir échappé pour lui plaire.

JUNIE

685 Hélas ! si j'ose encor former quelques souhaits,
Seigneur, permettez-moi de ne le voir jamais.

Scène 4

NÉRON, JUNIE, NARCISSE

NARCISSE

Britannicus, Seigneur, demande la princesse.
Il approche.

NÉRON

Qu'il vienne.

JUNIE

Ah Seigneur !

NÉRON

Je vous laisse.
Sa fortune[2] dépend de vous plus que de moi.
690 Madame, en le voyant, songez que je vous vois.

---

1. **L'infaillible salaire** : le prix à payer.
2. **Fortune** : ici, sort.

Scène 5

JUNIE, NARCISSE

JUNIE

Ah, cher Narcisse ! cours au-devant de ton maître.
Dis-lui... Je suis perdue, et je le vois paraître.

Scène 6

JUNIE, BRITANNICUS, NARCISSE

BRITANNICUS

Madame, quel bonheur me rapproche de vous ?
Quoi ? je puis donc jouir d'un entretien si doux ?
95 Mais parmi ce plaisir quel chagrin me dévore !
Hélas ! puis-je espérer de vous revoir encore ?
Faut-il que je dérobe avec mille détours
Un bonheur que vos yeux m'accordaient tous les jours ?
Quelle nuit ! quel réveil ! Vos pleurs, votre présence
00 N'ont point de ces cruels désarmé l'insolence ?
Que faisait votre amant ? Quel démon envieux
M'a refusé l'honneur de mourir à vos yeux ?
Hélas ! dans la frayeur dont vous étiez atteinte
M'avez-vous en secret adressé quelque plainte ?
05 Ma princesse, avez-vous daigné me souhaiter ?
Songiez-vous aux douleurs que vous m'alliez coûter ?
Vous ne me dites rien ? Quel accueil ! Quelle glace !
Est-ce ainsi que vos yeux consolent ma disgrâce ?

Parlez. Nous sommes seuls. Notre ennemi trompé
710 Tandis que je vous parle est ailleurs occupé.
Ménageons les moments de cette heureuse absence.

JUNIE

Vous êtes en des lieux tout pleins de sa puissance.
Ces murs mêmes, Seigneur, peuvent avoir des yeux,
Et jamais l'empereur n'est absent de ces lieux.

BRITANNICUS

715 Et depuis quand, Madame, êtes-vous si craintive ?
Quoi déjà votre amour souffre qu'on le captive[1] ?
Qu'est devenu ce cœur qui me jurait toujours
De faire à Néron même envier nos amours ?
Mais bannissez, Madame, une inutile crainte.
720 La foi dans tous les cœurs n'est pas encore éteinte.
Chacun semble des yeux approuver mon courroux :
La mère de Néron se déclare pour nous ;
Rome de sa conduite elle-même offensée…

JUNIE

Ah Seigneur ! vous parlez contre votre pensée.
725 Vous-même vous m'avez avoué mille fois
Que Rome le louait d'une commune voix.
Toujours à sa vertu vous rendiez quelque hommage.
Sans doute la douleur vous dicte ce langage.

BRITANNICUS

Ce discours me surprend, il le faut avouer.
730 Je ne vous cherchais pas pour l'entendre louer.
Quoi pour vous confier la douleur qui m'accable
À peine je dérobe un moment favorable,

---

1. **Captive** : emprisonne (sens propre).

Et ce moment si cher, Madame, est consumé[1]
À louer l'ennemi dont je suis opprimé ?
35 Qui vous rend à vous-même en un jour si contraire ?
Quoi ! même vos regards ont appris à se taire ?
Que vois-je ? Vous craignez de rencontrer mes yeux ?
Néron vous plairait-il ? Vous serais-je odieux ?
Ah ! si je le croyais… Au nom des dieux, Madame,
40 Éclaircissez le trouble où vous jetez mon âme.
Parlez. Ne suis-je plus dans votre souvenir ?

JUNIE

Retirez-vous, Seigneur, l'empereur va venir.

BRITANNICUS

Après ce coup, Narcisse, à qui dois-je m'attendre ?[2]

Scène 7

NÉRON, JUNIE, NARCISSE

NÉRON

Madame…

JUNIE

Non, Seigneur, je ne puis rien entendre.
45 Vous êtes obéi. Laissez couler du moins
Des larmes dont ses yeux ne seront pas témoins.

---

1. **Consumé** : perdu.
2. **À qui dois-je m'attendre ?** : sur qui puis-je compter ?

Scène 8

NÉRON, NARCISSE

NÉRON

Hé bien ? de leur amour tu vois la violence,
Narcisse, elle a paru jusque dans son silence.
Elle aime mon rival, je ne puis l'ignorer.
750 Mais je mettrai ma joie à le désespérer.
Je me fais de sa peine une image charmante,
Et je l'ai vu douter du cœur de son amante.
Je la suis. Mon rival t'attend pour éclater.
Par de nouveaux soupçons, va, cours le tourmenter,
755 Et tandis qu'à mes yeux on le pleure, on l'adore,
Fais-lui payer bien cher un bonheur qu'il ignore.

NARCISSE, *seul.*

La fortune t'appelle une seconde fois,
Narcisse, voudrais-tu résister à sa voix ?
Suivons jusques au bout ses ordres favorables ;
760 Et pour nous rendre heureux perdons les misérables[1].

1. **Misérables** : qui sont dignes d'être plaints, malheureux.

Arrêt sur lecture 2

Pour comprendre l'essentiel

L'intrigue amoureuse

❶ Au début de l'acte II, Néron semble davantage préoccupé par son amour pour Junie que par ses décisions politiques. Montrez que l'intrigue amoureuse devient centrale.

❷ Dans la scène 2, Néron cherche à savoir si Britannicus aime Junie. Justifiez le changement d'attitude de l'empereur vis-à-vis de Britannicus en comparant les questions de Néron aux vers 428, 429 et 435 et en relevant ce qui, dans la réplique de Narcisse, provoque la jalousie de Néron.

❸ La scène 3 oppose Junie à Néron. En étudiant les stratégies argumentatives des deux personnages, dites comment Néron cherche d'abord à séduire Junie avant d'user de la force pour la contraindre à rompre avec Britannicus.

Mensonges et trahisons

❹ À la scène 6, Néron assiste à l'entrevue de Junie et de Britannicus. Analysez les répliques de Junie et montrez par quels moyens elle tente de prévenir Britannicus de la présence de l'empereur.

❺ Britannicus ne comprend pas la froideur de Junie lors de leur entretien. Expliquez pourquoi la réplique de Junie à la scène 7 et la réaction de Néron à la scène 8 révèlent l'échec de la stratégie de l'empereur.

❻ Dans l'acte II, le rôle de Narcisse se précise. Relevez dans ses répliques ce qui indique qu'il joue un double jeu.

Néron, un « monstre naissant »

❼ Au début de l'acte II, le personnage de Néron reste fidèle au portrait que fait de lui Burrhus dans l'acte I. Relisez les vers 359-362 et observez comment Néron cherche encore à protéger sa mère, Agrippine, des accusations qui pèsent contre elle.

❽ Le personnage de Néron est présenté comme la victime d'un amour passionné. Relevez le champ lexical de la tristesse dans la scène 2, puis montrez comment l'amour inquiet de Néron pour Junie tourne à l'obsession à la fin de l'acte II.

❾ À la scène 3, l'empereur emploie la force pour obliger Junie à avouer à Britannicus qu'elle ne l'aime pas. Observez comment se manifeste l'évolution du personnage de Néron aux vers 659 à 684, en analysant la cruauté dont il fait preuve.

Rappelez-vous !

• La tragédie classique obéit à la **règle des trois unités**, principe imposé par les **théoriciens du théâtre classique** : l'action doit se dérouler dans un seul lieu, dans une seule journée et autour d'une seule action.

• Dans la tragédie de Racine, ces règles sont respectées. Pourtant, si la disgrâce d'Agrippine semblait en être le seul sujet au premier acte, elle se double désormais d'une **intrigue amoureuse**. Le fait de mêler ces deux actions contribue à rendre le **personnage de Néron complexe et tourmenté**.

Vers l'oral du Bac

Analyse de la scène 2 de l'acte II, v. 373-408, p. 46-47

☛ Expliquez comment cette scène dévoile une nouvelle facette du personnage de Néron

Conseils pour la lecture à voix haute

– Veillez à faire les liaisons qui permettent de respecter la mesure de l'alexandrin (« Grâces aux dieux », v. 373 ; « arriver en ces lieux », v. 386).

– Soyez également attentif(-ve) aux diérèses afin de respecter la métrique de l'alexandrin (« inquiet », v. 377 ; « curieux », v. 386).

Analyse du texte

■ *Introduction*

Au début de l'acte II de *Britannicus*, le spectateur est impatient de découvrir ce personnage dont tout le monde parle mais qui, jusqu'ici, est absent de la scène : Néron. Contrairement à l'empereur farouche et dissimulateur décrit par Agrippine au début de la pièce, Néron apparaît d'abord comme un homme conscient de ce qu'il doit à sa mère. Dans la scène 2, il semble encore moins correspondre au portrait qui a été fait de lui au premier acte. Le récit de sa rencontre avec Junie présente en effet une nouvelle facette de ce personnage. Nous chercherons ainsi à comprendre l'ambiguïté du personnage de Néron au terme de cet extrait, en étudiant d'abord le récit de sa rencontre avec Junie, présentée comme un coup de foudre, puis en analysant le motif du regard, central dans ce passage.

Analyse guidée

I. Le rapt de Junie, le ravissement de Néron

a. La scène revient sur un événement qui a eu lieu avant le début de la pièce. Relevez, dans le récit de Néron, les indications spatio-temporelles et montrez comment ces précisions permettent au spectateur de se représenter la scène.

b. L'enlèvement de Junie est brutal et rapide. Cherchez les éléments du texte qui évoquent la violence et la soudaineté puis, en vous appuyant sur les expressions qui décrivent Junie, analysez en quoi la scène est teintée d'érotisme.

c. Si le récit de Néron aux vers 385 à 408 décrit le rapt de la jeune fille, il met surtout en évidence le sentiment amoureux de l'empereur. Relevez toutes les manifestations du coup de foudre dans la réplique de Néron, en recherchant notamment le sens premier du mot « étonnement » (v. 397).

II. Jeux de regards, images de l'amour

a. Dans la tradition littéraire, l'échange de regards constitue un motif récurrent qui symbolise la naissance du sentiment amoureux. Montrez que le texte s'inscrit dans cette tradition en relevant le champ lexical des yeux et du regard.

b. Au vers 384, Néron dit qu'il « idolâtre » Junie. Le personnage emploie par ailleurs deux fois le mot « image ». En recherchant le sens étymologique de ces mots, qualifiez l'amour de Néron pour Junie.

c. Néron évoque la tristesse et les larmes de Junie. Relisez la description que l'empereur fait de la jeune fille (v. 386-394) et dites en quoi son enlèvement peut être interprété comme un sacrifice.

III. Néron, bourreau ou victime ?

a. Narcisse remarque rapidement le trouble de l'empereur. Étudiez les adjectifs et les participes passés employés, puis la comparaison entre Néron et Britannicus, et montrez que l'empereur apparaît alors comme une victime.

b. Néron explique à son confident son amour naissant et semble alors victime d'une passion inéluctable. Justifiez-le.

c. L'amour de l'empereur pour Junie est mêlé de cruauté. Prouvez-le en analysant le vers 404.

■ *Conclusion*

Dans le premier acte, l'enlèvement de Junie par Néron est présenté comme un acte politique destiné à contrarier les projets de sa mère, Agrippine. Dans l'acte II, cet événement se charge d'une nouvelle signification : il est l'occasion pour le dramaturge de montrer toute la complexité des sentiments du futur tyran. Pour ce faire, Racine s'écarte légèrement de la vérité historique (voir la préface de 1670 sur le personnage de Junie, p. 13, l. 50-63), afin d'explorer en profondeur les désirs humains. On pourra rapprocher cet extrait d'une autre pièce de Racine, *Andromaque*, où Pyrrhus, tout en se montrant menaçant, ne peut que se soumettre à l'amour qu'il porte à Andromaque.

Les trois questions de l'examinateur

Question 1. Connaissez-vous d'autres pièces de Racine où le personnage principal décrit sa rencontre avec un autre personnage comme un coup de foudre fatal ?

Question 2. Rappelez la règle des trois unités et dites en quoi le récit de l'enlèvement de Junie est une façon pour Racine de jouer avec cette contrainte.

Question 3. **Lecture d'images** Comparez les photographies de mise en scène reproduites au verso de la couverture, en début d'ouvrage (décors, costumes, attitudes des personnages…). Comment est suggérée la cruauté de Néron ?

ACTE III

Scène 1

NÉRON, BURRHUS

BURRHUS

Pallas obéira, Seigneur.

NÉRON

Et de quel œil
Ma mère a-t-elle vu confondre son orgueil[1] ?

BURRHUS

Ne doutez point, Seigneur, que ce coup ne la frappe,
Qu'en reproches bientôt sa douleur ne s'échappe.
Ses transports[2] dès longtemps commencent d'éclater.
À d'inutiles cris puissent-ils s'arrêter !

NÉRON

Quoi ? De quelque dessein la croyez-vous capable ?

BURRHUS

Agrippine, Seigneur, est toujours redoutable.
Rome, et tous vos soldats révèrent[3] ses aïeux,
Germanicus son père est présent à leurs yeux.

---

1. **Confondre son orgueil** : réduire son orgueil à néant.
2. **Transports** : emportements, émotions vives.
3. **Révèrent** : honorent, respectent.

Elle sait son pouvoir ; vous savez son courage,
Et ce qui me la fait redouter davantage,
C'est que vous appuyez vous-même son courroux,
Et que vous lui donnez des armes contre vous.

NÉRON

775 Moi, Burrhus ?

BURRHUS

Cet amour, Seigneur, qui vous possède…

NÉRON

Je vous entends[1], Burrhus, le mal est sans remède.
Mon cœur s'en est plus dit que vous ne m'en direz.
Il faut que j'aime enfin.

BURRHUS

Vous vous le figurez[2],
Seigneur, et satisfait de quelque résistance
780 Vous redoutez un mal faible dans sa naissance.
Mais si dans son devoir votre cœur affermi
Voulait ne point s'entendre avec son ennemi,
Si de vos premiers ans vous consultiez la gloire,
Si vous daigniez[3], Seigneur, rappeler la mémoire
785 Des vertus d'Octavie, indignes de ce prix,
Et de son chaste amour vainqueur de vos mépris ;
Surtout si de Junie évitant la présence
Vous condamniez vos yeux à quelques jours d'absence,
Croyez-moi, quelque amour qui semble vous charmer,
790 On n'aime point, Seigneur, si l'on ne veut aimer.

1. **Entends** : comprends.
2. **Figurez** : imaginez.
3. **Daigniez** : consentiez.

NÉRON

Je vous croirai, Burrhus, lorsque dans les alarmes[1]
Il faudra soutenir la gloire de nos armes,
Ou lorsque plus tranquille assis dans le sénat
Il faudra décider du destin de l'État :
95 Je m'en reposerai sur votre expérience.
Mais, croyez-moi, l'amour est une autre science,
Burrhus, et je ferais quelque difficulté
D'abaisser jusque-là votre sévérité.
Adieu, je souffre trop éloigné de Junie.

Scène 2

BURRHUS, *seul.*

00 Enfin, Burrhus, Néron découvre son génie.
Cette férocité que tu croyais fléchir[2]
De tes faibles liens est prête à s'affranchir.
En quels excès peut-être elle va se répandre !
Ô dieux ! en ce malheur quel conseil[3] dois-je prendre ?
05 Sénèque, dont les soins me devraient soulager,
Occupé loin de Rome ignore ce danger.
Mais quoi ? Si d'Agrippine excitant la tendresse
Je pouvais... La voici, mon bonheur me l'adresse.

1. **Dans les alarmes** : en période de guerre.
2. **Fléchir** : diminuer.
3. **Conseil** : décision.

Scène 3

AGRIPPINE, BURRHUS, ALBINE

AGRIPPINE

Hé bien, je me trompais, Burrhus, dans mes soupçons ?
810 Et vous vous signalez par d'illustres leçons.
On exile Pallas, dont le crime peut-être
Est d'avoir à l'empire élevé votre maître.
Vous le savez trop bien. Jamais sans ses avis
Claude qu'il gouvernait n'eût adopté mon fils.
815 Que dis-je ? À son épouse on donne une rivale.
On affranchit Néron de la foi conjugale.
Digne emploi d'un ministre, ennemi des flatteurs,
Choisi pour mettre un frein à ses jeunes ardeurs,
De les flatter lui-même, et nourrir dans son âme
820 Le mépris de sa mère, et l'oubli de sa femme !

BURRHUS

Madame, jusqu'ici c'est trop tôt m'accuser.
L'empereur n'a rien fait qu'on ne puisse excuser.
N'imputez qu'à Pallas un exil nécessaire[1],
Son orgueil dès longtemps exigeait ce salaire,
825 Et l'empereur ne fait qu'accomplir à regret
Ce que toute la cour demandait en secret.
Le reste est un malheur qui n'est point sans ressource[2].
Des larmes d'Octavie on peut tarir la source.
Mais calmez vos transports. Par un chemin plus doux
830 Vous lui pourrez plus tôt ramener son époux.
Les menaces, les cris le rendront plus farouche.

---

1. **N'imputez qu'à Pallas un exil nécessaire** : considérez Pallas comme seul responsable de son exil.
2. **Qui n'est point sans ressource** : qui peut trouver une issue favorable.

AGRIPPINE

Ah ! l'on s'efforce en vain de me fermer la bouche.
Je vois que mon silence irrite vos dédains[1],
Et c'est trop respecter l'ouvrage de mes mains.
35 Pallas n'emporte pas tout l'appui d'Agrippine,
Le ciel m'en laisse assez pour venger ma ruine.
Le fils de Claudius commence à ressentir
Des crimes, dont je n'ai que le seul repentir[2].
J'irai, n'en doutez point, le montrer à l'armée,
40 Plaindre aux yeux des soldats son enfance opprimée,
Leur faire à mon exemple expier[3] leur erreur.
On verra d'un côté le fils d'un empereur,
Redemandant la foi jurée à sa famille,
Et de Germanicus on entendra la fille ;
45 De l'autre l'on verra le fils d'Ænobarbus,
Appuyé de Sénèque, et du tribun[4] Burrhus,
Qui tous deux de l'exil rappelés par moi-même,
Partagent à mes yeux l'autorité suprême.
De nos crimes communs je veux qu'on soit instruit.
50 On saura les chemins par où je l'ai conduit.
Pour rendre sa puissance et la vôtre odieuses,
J'avouerai les rumeurs les plus injurieuses,
Je confesserai tout, exils, assassinats,
Poison même…

BURRHUS

Madame, ils ne vous croiront pas.
55 Ils sauront récuser[5] l'injuste stratagème
D'un témoin irrité qui s'accuse lui-même.

1. **Irrite vos dédains** : ravive votre mépris.
2. **Dont je n'ai que le seul repentir** : dont je suis la seule responsable.
3. **Expier** : réparer, racheter.
4. **Tribun** : représentant du peuple.
5. **Récuser** : rejeter.

Pour moi qui le premier secondai vos desseins,
Qui fis même jurer l'armée entre ses mains,
Je ne me repens point de ce zèle sincère.
860 Madame, c'est un fils qui succède à son père.
En adoptant Néron, Claudius par son choix
De son fils et du vôtre a confondu les droits.
Rome l'a pu choisir. Ainsi sans être injuste,
Elle choisit Tibère adopté par Auguste,
865 Et le jeune Agrippa de son sang descendu
Se vit exclu du rang vainement prétendu.
Sur tant de fondements sa puissance établie
Par vous-même aujourd'hui ne peut être affaiblie.
Et s'il m'écoute encor, Madame, sa bonté
870 Vous en fera bientôt perdre la volonté.
J'ai commencé, je vais poursuivre mon ouvrage.

Scène 4

AGRIPPINE, ALBINE

ALBINE

Dans quel emportement la douleur vous engage,
Madame ! L'empereur puisse-t-il l'ignorer.

AGRIPPINE

Ah ! lui-même à mes yeux puisse-t-il se montrer !

ALBINE

875 Madame, au nom des dieux, cachez votre colère.
Quoi pour les intérêts de la sœur ou du frère
Faut-il sacrifier le repos de vos jours ?
Contraindrez-vous César jusque dans ses amours ?

AGRIPPINE

Quoi ? tu ne vois donc pas jusqu'où l'on me ravale[1],
880 Albine ? C'est à moi qu'on donne une rivale.
Bientôt si je ne romps ce funeste[2] lien,
Ma place est occupée, et je ne suis plus rien.
Jusqu'ici d'un vain titre Octavie honorée
Inutile à la cour, en était ignorée.
885 Les grâces, les honneurs par moi seule versés
M'attiraient des mortels les vœux intéressés.
Une autre de César a surpris la tendresse,
Elle aura le pouvoir d'épouse et de maîtresse,
Le fruit de tant de soins, la pompe[3] des Césars,
890 Tout deviendra le prix d'un seul de ses regards.
Que dis-je ? L'on m'évite et déjà délaissée…
Ah je ne puis, Albine, en souffrir la pensée.
Quand je devrais du ciel hâter l'arrêt fatal,
Néron, l'ingrat Néron… Mais voici son rival.

Scène 5

BRITANNICUS, AGRIPPINE, NARCISSE, ALBINE

BRITANNICUS

895 Nos ennemis communs ne sont pas invincibles,
Madame. Nos malheurs trouvent des cœurs sensibles.
Vos amis et les miens jusqu'alors si secrets,
Tandis que nous perdions le temps en vains regrets,
Animés du courroux qu'allume l'injustice
900 Viennent de confier leur douleur à Narcisse.

1. **Me ravale** : m'abaisse.
2. **Funeste** : qui annonce un malheur.
3. **Pompe** : grandeur.

Néron n'est pas encor tranquille possesseur
De l'ingrate qu'il aime au mépris de ma sœur.
Si vous êtes toujours sensible à son injure,
On peut dans son devoir ramener le parjure[1].
905 La moitié du sénat s'intéresse pour nous[2].
Sylla, Pison, Plautus[3]…

AGRIPPINE

Prince, que dites-vous ?
Sylla, Pison, Plautus ! Les chefs de la noblesse !

BRITANNICUS

Madame, je vois bien que ce discours vous blesse,
Et que votre courroux, tremblant, irrésolu[4],
910 Craint déjà d'obtenir tout ce qu'il a voulu.
Non, vous avez trop bien établi ma disgrâce.
D'aucun ami pour moi ne redoutez l'audace.
Il ne m'en reste plus, et vos soins trop prudents
Les ont tous écartés ou séduits dès longtemps.

AGRIPPINE

915 Seigneur, à vos soupçons donnez moins de créance[5] :
Notre salut dépend de notre intelligence.
J'ai promis, il suffit. Malgré vos ennemis
Je ne révoque rien[6] de ce que j'ai promis.

---

1. **Parjure** : celui qui fait de faux serments (ici, Néron).
2. **S'intéresse pour nous** : prend notre parti.
3. **Sylla** : sénateur, proche de la famille impériale, qui aurait pu devenir empereur à la place de Néron. Ce dernier le fait exécuter en 62 ; **Pison** : sénateur à l'origine d'une conspiration contre Néron. Ce dernier finit par le contraindre au suicide en 65 ; **Plautus** : sénateur proche de la famille impériale. Néron, le considérant comme un ennemi potentiel, le fait exécuter en 62.
4. **Irrésolu** : incertain. Il faut comprendre que, selon Britannicus, la colère d'Agrippine n'est pas assez affirmée pour accepter de le voir prendre la place de son fils.
5. **Donnez moins de créance** : accordez moins de vérité.
6. **Je ne révoque rien** : je ne renonce à rien.

Le coupable Néron fuit en vain ma colère.
Tôt ou tard il faudra qu'il entende sa mère.
J'essaierai tour à tour la force et la douceur.
Ou moi-même avec moi conduisant votre sœur,
J'irai semer partout ma crainte et ses alarmes,
Et ranger tous les cœurs du parti de ses larmes.
25 Adieu. J'assiégerai Néron de toutes parts.
Vous, si vous m'en croyez, évitez ses regards.

Scène 6

BRITANNICUS, NARCISSE

BRITANNICUS

Ne m'as-tu point flatté d'une fausse espérance ?
Puis-je sur ton récit fonder quelque assurance,
Narcisse ?

NARCISSE

Oui. Mais, Seigneur, ce n'est pas en ces lieux
30 Qu'il faut développer ce mystère à vos yeux.
Sortons. Qu'attendez-vous ?

BRITANNICUS

Ce que j'attends, Narcisse ?
Hélas !

NARCISSE

Expliquez-vous.

BRITANNICUS

Si par ton artifice

Je pouvais revoir…

NARCISSE

Qui ?

BRITANNICUS

J'en rougis. Mais enfin
D'un cœur moins agité j'attendrais mon destin.

NARCISSE

935 Après tous mes discours vous la croyez fidèle ?

BRITANNICUS

Non, je la crois, Narcisse, ingrate, criminelle,
Digne de mon courroux. Mais je sens malgré moi
Que je ne le crois pas autant que je le dois.
Dans ses égarements mon cœur opiniâtre[1]
940 Lui prête des raisons, l'excuse, l'idolâtre.
Je voudrais vaincre enfin mon incrédulité[2],
Je la voudrais haïr avec tranquillité.
Et qui croira qu'un cœur si grand en apparence,
D'une infidèle cour ennemi dès l'enfance ;
945 Renonce à tant de gloire, et dès le premier jour
Trame une perfidie, inouïe à la cour[3] ?

NARCISSE

Et qui sait si l'ingrate en sa longue retraite[4]
N'a point de l'empereur médité la défaite ?
Trop sûre que ses yeux ne pouvaient se cacher
950 Peut-être elle fuyait pour se faire chercher,
Pour exciter Néron par la gloire pénible
De vaincre une fierté jusqu'alors invincible.

---

1. **Opiniâtre** : obstiné, entêté.
2. **Incrédulité** : difficulté à croire (que Junie ne l'aime plus).
3. **Trame une perfidie, inouïe à la cour** : projette une trahison sans pareil.
4. **Retraite** : fait d'être retiré du monde.

BRITANNICUS

Je ne la puis donc voir ?

NARCISSE

Seigneur, en ce moment
Elle reçoit les vœux de son nouvel amant.

BRITANNICUS

955 Eh bien, Narcisse, allons. Mais que vois-je ? C'est elle.

NARCISSE

Ah dieux ! À l'empereur portons cette nouvelle.

Scène 7

BRITANNICUS, JUNIE

JUNIE

Retirez-vous, Seigneur, et fuyez un courroux
Que ma persévérance[1] allume contre vous.
Néron est irrité. Je me suis échappée
960 Tandis qu'à l'arrêter sa mère est occupée.
Adieu, réservez-vous, sans blesser mon amour,
Au plaisir de me voir justifier un jour[2].
Votre image sans cesse est présente à mon âme.
Rien ne l'en peut bannir.

BRITANNICUS

Je vous entends, Madame,

1. **Persévérance** : constance.
2. **Réservez-vous [...] au plaisir de me voir justifier un jour** : remettez à plus tard le moment où je me justifierai.

965 Vous voulez que ma fuite assure vos désirs,
Que je laisse un champ libre à vos nouveaux soupirs.
Sans doute en me voyant, une pudeur secrète
Ne vous laisse goûter qu'une joie inquiète.
Eh bien, il faut partir.

JUNIE

Seigneur, sans m'imputer…

BRITANNICUS

970 Ah ! vous deviez du moins plus longtemps disputer.
Je ne murmure point qu'une amitié commune[1]
Se range du parti que flatte la fortune,
Que l'éclat d'un empire ait pu vous éblouir,
Qu'aux dépens de ma sœur vous en vouliez jouir.
975 Mais que de ces grandeurs comme une autre occupée
Vous m'en ayez paru si longtemps détrompée ;
Non, je l'avoue encor, mon cœur désespéré
Contre ce seul malheur n'était point préparé.
J'ai vu sur ma ruine élever l'injustice.
980 De mes persécuteurs j'ai vu le ciel complice.
Tant d'horreurs n'avaient point épuisé son courroux,
Madame. Il me restait d'être oublié de vous.

JUNIE

Dans un temps plus heureux ma juste impatience
Vous ferait repentir de votre défiance[2].
985 Mais Néron vous menace. En ce pressant danger,
Seigneur, j'ai d'autres soins que de vous affliger[3].
Allez, rassurez-vous, et cessez de vous plaindre,
Néron nous écoutait, et m'ordonnait de feindre.

---

1. **Je ne murmure point qu'une amitié commune** : je ne proteste pas contre un amour ordinaire.
2. **Vous ferait repentir de votre défiance** : vous ferait regretter votre manque de confiance (en moi).
3. **Affliger** : faire souffrir.

BRITANNICUS

Quoi le cruel ?…

JUNIE

Témoin de tout notre entretien

90 D'un visage sévère examinait le mien,
Prêt à faire sur vous éclater la vengeance
D'un geste confident de notre intelligence[1].

BRITANNICUS

Néron nous écoutait, Madame ! Mais hélas !
Vos yeux auraient pu feindre et ne m'abuser pas.
95 Ils pouvaient me nommer l'auteur de cet outrage.
L'amour est-il muet, ou n'a-t-il qu'un langage ?
De quel trouble un regard pouvait me préserver !
Il fallait…

JUNIE

Il fallait me taire, et vous sauver.
Combien de fois, hélas ! puisqu'il faut vous le dire,
00 Mon cœur de son désordre allait-il vous instruire ?
De combien de soupirs interrompant le cours
Ai-je évité vos yeux que je cherchais toujours !
Quel tourment de se taire en voyant ce qu'on aime !
De l'entendre gémir, de l'affliger soi-même,
05 Lorsque par un regard on peut le consoler !
Mais quels pleurs ce regard aurait-il fait couler ?
Ah ! dans ce souvenir, inquiète, troublée,
Je ne me sentais pas assez dissimulée[2].
De mon front effrayé je craignais la pâleur.
10 Je trouvais mes regards trop pleins de ma douleur.

1. **Confident de notre intelligence** : témoin de notre amour.
2. **Dissimulée** : cachée, discrète.

Sans cesse il me semblait que Néron en colère
Me venait reprocher trop de soin de vous plaire.
Je craignais mon amour vainement renfermé,
Enfin j'aurais voulu n'avoir jamais aimé.
1015 Hélas ! pour son bonheur, Seigneur, et pour le nôtre,
Il n'est que trop instruit de mon cœur et du vôtre.
Allez encore un coup, cachez-vous à ses yeux.
Mon cœur plus à loisir[1] vous éclaircira mieux.
De mille autres secrets j'aurais compte à vous rendre.

BRITANNICUS

1020 Ah ! n'en voilà que trop. C'est trop me faire entendre,
Madame, mon bonheur, mon crime, vos bontés.
Et savez-vous pour moi tout ce que vous quittez ?
Quand pourrai-je à vos pieds expier ce reproche ?

JUNIE

Que faites-vous ? Hélas ! votre rival s'approche.

Scène 8

NÉRON, BRITANNICUS, JUNIE

NÉRON

1025 Prince, continuez des transports si charmants.
Je conçois vos bontés par ses remerciements,
Madame, à vos genoux je viens de le surprendre.
Mais il aurait aussi quelque grâce à me rendre,
Ce lieu le favorise, et je vous y retiens
1030 Pour lui faciliter de si doux entretiens.

---

1. **À loisir** : autant que vous le voudrez.

BRITANNICUS

Je puis mettre à ses pieds ma douleur, ou ma joie,
Partout où sa bonté consent que je la voie.
Et l'aspect de ces lieux où vous la retenez,
N'a rien dont mes regards doivent être étonnés.

NÉRON

1035 Et que vous montrent-ils qui ne vous avertisse
Qu'il faut qu'on me respecte, et que l'on m'obéisse ?

BRITANNICUS

Ils ne nous ont pas vus l'un et l'autre élever,
Moi pour vous obéir, et vous pour me braver[1],
Et ne s'attendaient pas lorsqu'ils nous virent naître,
1040 Qu'un jour Domitius me dût parler en maître.

NÉRON

Ainsi par le destin nos vœux sont traversés,
J'obéissais alors[2] et vous obéissez.
Si vous n'avez appris à vous laisser conduire,
Vous êtes jeune encore, et l'on peut vous instruire.

BRITANNICUS

1045 Et qui m'en instruira ?

NÉRON

Tout l'empire à la fois,
Rome.

BRITANNICUS

Rome met-elle au nombre de vos droits
Tout ce qu'a de cruel l'injustice et la force,
Les emprisonnements, le rapt et le divorce ?

---

1. **Braver** : regarder avec mépris.
2. **Alors** : à cette époque.

NÉRON

Rome ne porte point ses regards curieux
Jusque dans des secrets que je cache à ses yeux.
Imitez son respect.

BRITANNICUS

On sait ce qu'elle en pense.

NÉRON

Elle se tait du moins, imitez son silence.

BRITANNICUS

Ainsi Néron commence à ne se plus forcer[1].

NÉRON

Néron de vos discours commence à se lasser.

BRITANNICUS

1055 Chacun devait bénir le bonheur de son règne.

NÉRON

Heureux ou malheureux, il suffit qu'on me craigne.

BRITANNICUS

Je connais mal Junie, ou de tels sentiments
Ne mériteront pas ses applaudissements.

NÉRON

Du moins si je ne sais le secret de lui plaire,
1060 Je sais l'art de punir un rival téméraire[2].

1. **À ne se plus forcer** : à ne plus à se contraindre.
2. **Téméraire** : imprudent.

BRITANNICUS

Pour moi, quelque péril qui me puisse accabler,
Sa seule inimitié[1] peut me faire trembler.

NÉRON

Souhaitez-la. C'est tout ce que je vous puis dire.

BRITANNICUS

Le bonheur de lui plaire est le seul où j'aspire.

NÉRON

65 Elle vous l'a promis, vous lui plairez toujours.

BRITANNICUS

Je ne sais pas du moins épier[2] ses discours.
Je la laisse expliquer sur tout ce qui me touche,
Et ne me cache point pour lui fermer la bouche.

NÉRON

Je vous entends. Eh bien, Gardes !

JUNIE

Que faites-vous ?
70 C'est votre frère. Hélas ! C'est un amant jaloux,
Seigneur, mille malheurs persécutent sa vie.
Ah ! son bonheur peut-il exciter votre envie ?
Souffrez que de vos cœurs rapprochant les liens,
Je me cache à vos yeux, et me dérobe aux siens.
75 Ma fuite arrêtera vos discordes[3] fatales,
Seigneur, j'irai remplir le nombre des vestales.

---

1. **Inimitié** : haine, aversion.
2. **Épier** : observer en secret.
3. **Discordes** : conflits.

disputez plus mes vœux infortunés[1],
frez que les dieux seuls en soient importunés.

Néron

L'entreprise, Madame, est étrange et soudaine.
Dans son appartement, Gardes, qu'on la remène[2].
Gardez Britannicus dans celui de sa sœur.

Britannicus

C'est ainsi que Néron sait disputer un cœur.

Junie

Prince, sans l'irriter, cédons à cet orage.

Néron

Gardes, obéissez, sans tarder davantage.

Scène 9

Néron, Burrhus

Burrhus

1085 Que vois-je ? Ô Ciel !

Néron, *sans voir Burrhus.*

Ainsi leurs feux[3] sont redoublés,
Je reconnais la main qui les a rassemblés.
Agrippine ne s'est présentée à ma vue,
Ne s'est dans ses discours si longtemps étendue,

---

1. **Ne lui disputez plus mes vœux infortunés** : ne cherchez plus à obtenir ce que je lui ai promis.
2. **Qu'on la remène** : qu'on la reconduise.
3. **Feux** : élans amoureux.

Que pour faire jouer ce ressort[1] odieux.
090 Qu'on sache si ma mère est encore en ces lieux.
Burrhus, dans ce palais je veux qu'on la retienne,
Et qu'au lieu de sa garde, on lui donne la mienne.

BURRHUS

Quoi, Seigneur? sans l'ouïr[2]? Une mère?

NÉRON

Arrêtez.
J'ignore quel projet, Burrhus, vous méditez.
095 Mais depuis quelques jours tout ce que je désire
Trouve en vous un censeur, prêt à me contredire.
Répondez-m'en[3], vous dis-je, ou sur votre refus
D'autres me répondront et d'elle, et de Burrhus.

1. **Ressort**: moyen dont on se sert pour arriver à ses fins.
2. **Ouïr**: écouter.
3. **Répondez-m'en**: justifiez-vous.

Arrêt lecture 3

our comprendre l'essentiel

s frères ennemis

 La scène 8 de l'acte III présente l'affrontement de Néron et Britannicus. aractérisez cette confrontation en observant notamment la longueur des répliques.

❷ En révélant à Britannicus la présence de Néron lors de leur précédent entretien, Junie déclenche le conflit entre les deux frères. Étudiez le vers 998, en cherchant le sens de la répétition et montrez que Junie a agi avec détermination.

❸ Les rapports de force entre les personnages évoluent. Relisez les vers 879 à 890 (scène 4) et 1086 à 1089 (scène 9) et reformulez les arguments d'Agrippine et de Néron, qui s'accusent mutuellement de complot.

Amour et pouvoir

❹ Britannicus est victime de la cruauté de Néron. Il fait pourtant preuve d'une grande force de caractère, dès lors que Junie l'assure de son amour. Prouvez-le et dites en quoi cette posture fait de Britannicus un personnage tragique.

❺ À l'acte II, la cruauté de Néron paraissait affaiblie par sa passion pour Junie. Relevez, dans l'acte III, les répliques qui indiquent que Néron cherche à réaffirmer sa puissance. Puis, en observant attentivement le lexique employé, montrez que ses décisions sont de plus en plus arbitraires.

❻ Dans la scène 4, Agrippine se confie à Albine : tenue à l'écart du pouvoir, elle se sent « déjà délaissée » (v. 891). Expliquez l'ambiguïté de cette confidence en mettant en évidence la jalousie d'Agrippine à l'égard de Junie.

Les masques du vice et de la vertu

❼ Le rôle de Narcisse est désormais très clair. En vous appuyant sur l'aparté de la scène 6, montrez comment ses nouvelles trahisons précipitent l'affrontement des deux frères. Puis caractérisez la relation qui unit Narcisse à Britannicus.

❽ Burrhus semble le plus vertueux de tous mais il n'est pas entendu. Analysez ses répliques et relevez les différents conseils qu'il donne à Néron.

❾ Agrippine, écartée du pouvoir par son fils, peut être perçue comme la victime des complots de l'empereur. En vous appuyant sur ses répliques à la scène 3, dites quelle(s) stratégie(s) elle compte mettre en œuvre pour se venger.

Rappelez-vous !

• Dans l'acte III, **les personnages révèlent leur véritable caractère** : Néron dévoile sa « férocité » (III, 2), Agrippine confesse sa relation trouble au pouvoir, Narcisse ne recule devant aucune traîtrise, Britannicus s'emporte de façon imprudente et Junie annonce son désir de se retirer du monde. Quant à Burrhus, le seul à représenter la vertu, il n'est écouté de personne.

• Dans la scène de l'affrontement (III, 8), on remarque que Racine utilise le procédé de la **stichomythie**, c'est-à-dire un **dialogue dans lequel chaque réplique correspond à un vers**, ce qui rend l'échange rythmé et percutant.

Vers l'oral du Bac

Analyse de la scène 8 de l'acte III, v. 1025-1069, p. 84-87

☛ Montrer comment Britannicus s'oppose à Néron

Conseils pour la lecture à voix haute

– Comme pour les autres extraits, veillez à bien prononcer les e muets («quelque», v. 1028; «Rome» et «nombre», v. 1046; «porte», v. 1049; «jusque», v. 1050...) et les diérèses («lieux», v. 1033; «Domitius», v. 1040; «curieux», v. 1049...).
– Néron et Britannicus échangent de très courtes répliques. Pour marquer le rythme rapide du dialogue, ne lisez pas le nom de chaque personnage et veillez à varier l'intonation.

Analyse du texte

■ *Introduction*

Dans la scène 7 de l'acte III, Junie confie à Britannicus que Néron était caché lors de leur première entrevue. Ce tête-à-tête, au cours duquel le jeune prince est rassuré sur les sentiments de sa bien-aimée, est interrompu par l'arrivée de Néron, prévenu par Narcisse. C'est alors la première et la seule fois de la pièce que les trois personnages sont ouvertement réunis: fort de son amour, Britannicus se dresse contre son frère et l'affrontement montre ainsi le courage, peut-être aveugle, du prince face à l'empereur. Nous analyserons donc comment Britannicus s'oppose à Néron en observant d'abord que la confrontation des frères s'ouvre sur l'affront de Britannicus. Puis nous verrons que l'extrait est construit en miroir, et renvoie ainsi face à face Britannicus et Néron. Enfin, nous montrerons que l'imprudence dont fait preuve le héros le mènera à sa perte.

■ *Analyse guidée*

I. L'affront de Britannicus

a. Britannicus évoque pour la première fois la prise de pouvoir illégitime de Néron. En vous appuyant sur l'étude des vers 1037-1040, montrez que Britannicus discrédite ainsi son rival.

b. Britannicus accuse Néron d'agir en dépit des lois de Rome. Étudiez la question rhétorique qui s'étend du vers 1046 au vers 1048 et le jeu des pronoms au vers 1051, puis dites quel effet Britannicus veut ainsi produire.

c. Pour humilier Néron, Britannicus revient sans cesse sur son échec amoureux face à Junie. Montrez-le et expliquez ce qui pousse alors Néron à user de la force.

II. Une scène en miroir

a. La confrontation des deux frères apparaît comme une joute verbale. Étudiez la stichomythie et analysez l'effet produit.

b. Tout semble opposer Néron et Britannicus. Pourtant, la scène de confrontation apporte un nouvel éclairage sur leur relation. Relevez les répétitions et les effets d'échos dans leurs répliques puis analysez l'effet produit.

c. Junie est présente sur scène mais semble pourtant absente. Expliquez ce que son silence révèle.

III. L'aveuglement tragique

a. Britannicus montre qu'il ne craint pas Néron. En observant le jeu des pronoms personnels dans ses répliques, prouvez qu'il refuse de se soumettre au pouvoir de l'empereur, et dites en quoi il commet là une imprudence fatale.

b. Depuis le début de la pièce, les actes de violence de Néron se multiplient. Observez les phrases qui révèlent que Néron se comporte en tyran et expliquez à quels événements Britannicus fait allusion.

c. Néron joue un rôle ambigu dans l'extrait et semble avouer son échec face à Junie. Relevez tous les verbes à l'impératif dans ses répliques et repérez à quel moment il prend de nouveau l'ascendant sur Britannicus.

■ *Conclusion*

La scène 8 de l'acte III est le seul moment de la pièce où Britannicus s'affirme face à Néron. Il n'est plus seulement la victime des stratagèmes d'Agrippine, ni de ceux de l'empereur, mais bien un héros à part entière, révolté contre la force qui l'opprime. Pourtant, Racine tient à souligner la part du désir amoureux dans la dimension héroïque du personnage : c'est parce qu'il aime et qu'il est aimé que Britannicus trouve le courage de se révolter. À l'inverse, Néron, bien qu'il possède le pouvoir politique, est un homme faible, parce qu'il n'est pas aimé de Junie. Le dramaturge inscrit ainsi la rivalité politique dans le cadre d'un triangle amoureux.

Les trois questions de l'examinateur

Question 1. Connaissez-vous d'autres œuvres (littérature, peinture, etc.) dans lesquelles deux frères ennemis s'opposent ?

Question 2. On a souvent dit que les personnages de Racine faisaient de mauvais choix. Partagez-vous cet avis ? Pourquoi ?

Question 3. Quelles indications scéniques donneriez-vous aux acteurs de cette scène ?

ACTE IV

Scène 1

AGRIPPINE, BURRHUS

BURRHUS

Oui Madame, à loisir vous pourrez vous défendre.
César lui-même ici consent de vous entendre.
Si son ordre au palais vous a fait retenir,
C'est peut-être à dessein de vous entretenir.
Quoi qu'il en soit, si j'ose expliquer ma pensée,
Ne vous souvenez plus qu'il vous ait offensée.
Préparez-vous plutôt à lui tendre les bras.
Défendez-vous, Madame, et ne l'accusez pas.
Vous voyez, c'est lui seul que la cour envisage[1].
Quoiqu'il soit votre fils, et même votre ouvrage,
Il est votre empereur. Vous êtes comme nous
Sujette à ce pouvoir qu'il a reçu de vous.
Selon qu'il vous menace, ou bien qu'il vous caresse,
La cour autour de vous ou s'écarte, ou s'empresse.
C'est son appui qu'on cherche, en cherchant votre appui.
Mais voici l'empereur.

AGRIPPINE

Qu'on me laisse avec lui.

1. **Envisage**: reconnaît comme puissant.

Scène 2

AGRIPPINE, NÉRON

AGRIPPINE, *s'asseyant.*

1115 Approchez-vous, Néron, et prenez votre place.
On veut sur vos soupçons que je vous satisfasse.
J'ignore de quel crime on a pu me noircir[1].
De tous ceux que j'ai faits je vais vous éclaircir.
Vous régnez. Vous savez combien votre naissance
1120 Entre l'empire et vous avait mis de distance.
Les droits de mes aïeux que Rome a consacrés
Étaient même sans moi d'inutiles degrés[2].
Quand de Britannicus la mère condamnée
Laissa de Claudius disputer l'hyménée[3],
1125 Parmi tant de beautés qui briguèrent[4] son choix,
Qui de ses affranchis mendièrent les voix,
Je souhaitai son lit, dans la seule pensée
De vous laisser au trône, où je serais placée.
Je fléchis[5] mon orgueil, j'allai prier Pallas.
1130 Son maître chaque jour caressé dans mes bras
Prit insensiblement dans les yeux de sa nièce[6]
L'amour, où je voulais amener sa tendresse,
Mais ce lien du sang qui nous joignait tous deux,
Écartait Claudius d'un lit incestueux.

1. **Noircir** : rendre coupable.
2. **Degrés** : appuis.
3. **Quand de Britannicus la mère condamnée / Laissa de Claudius disputer l'hyménée** : quand la mère de Britannicus fut répudiée et que Claude dut choisir une nouvelle épouse.
4. **Briguèrent** : recherchèrent avec empressement.
5. **Fléchis** : ici, fis taire.
6. **Sa nièce** : il s'agit d'Agrippine elle-même. Claude est en effet le frère de Germanicus, le père d'Agrippine.

1135 Il n'osait épouser la fille de son frère.
Le sénat fut séduit. Une loi moins sévère
Mit Claude dans mon lit et Rome à mes genoux.
C'était beaucoup pour moi, ce n'était rien pour vous.
Je vous fis sur mes pas entrer dans sa famille.
1140 Je vous nommai son gendre, et vous donnai sa fille.
Silanus, qui l'aimait, s'en vit abandonné,
Et marqua de son sang ce jour infortuné[1].
Ce n'était rien encore. Eussiez-vous pu prétendre
Qu'un jour Claude à son fils dût préférer son gendre ?
1145 De ce même Pallas j'implorai le secours,
Claude vous adopta, vaincu par ses discours,
Vous appela Néron, et du pouvoir suprême
Voulut avant le temps vous faire part lui-même[2].
C'est alors que chacun rappelant le passé
1150 Découvrit mon dessein, déjà trop avancé ;
Que de Britannicus la disgrâce future
Des amis de son père excita le murmure.
Mes promesses aux uns éblouirent les yeux,
L'exil me délivra des plus séditieux[3].
1155 Claude même lassé de ma plainte éternelle
Éloigna de son fils tous ceux, de qui le zèle
Engagé dès longtemps à suivre son destin,
Pouvait du trône encor lui rouvrir le chemin.
Je fis plus : je choisis moi-même dans ma suitc
1160 Ceux à qui je voulais qu'on livrât sa conduite.
J'eus soin de vous nommer, par un contraire choix,
Des gouverneurs que Rome honorait de sa voix.

---

1. **Infortuné** : malheureux.
2. **Voulut avant le temps vous faire part lui-même** : voulut vous faire participer lui-même au pouvoir avant le moment normalement prévu pour la succession (c'est-à-dire la mort).
3. **Séditieux** : enclins à se révolter.

Je fus sourde à la brigue[1], et crus la renommée.
J'appelai de l'exil, je tirai de l'armée,
1165 Et ce même Sénèque et ce même Burrhus,
Qui depuis... Rome alors estimait leurs vertus.
De Claude en même temps épuisant les richesses
Ma main, sous votre nom, répandait ses largesses.
Les spectacles, les dons, invincibles appas
1170 Vous attiraient les cœurs du peuple, et des soldats,
Qui d'ailleurs réveillant leur tendresse première
Favorisaient en vous Germanicus mon père.
Cependant Claudius penchait vers son déclin.
Ses yeux longtemps fermés s'ouvrirent à la fin.
1175 Il connut son erreur. Occupé de sa crainte
Il laissa pour son fils échapper quelque plainte,
Et voulut, mais trop tard, assembler ses amis.
Ses gardes, son palais, son lit m'étaient soumis.
Je lui laissai sans fruit consumer sa tendresse[2],
1180 De ses derniers soupirs je me rendis maîtresse,
Mes soins, en apparence, épargnant ses douleurs,
De son fils, en mourant, lui cachèrent les pleurs.
Il mourut. Mille bruits en courent à ma honte[3].
J'arrêtai de sa mort la nouvelle trop prompte[4]:
1185 Et tandis que Burrhus allait secrètement
De l'armée en vos mains exiger le serment,
Que vous marchiez au camp, conduit sous mes auspices[5],
Dans Rome les autels fumaient de sacrifices[6],

---

1. **Je fus sourde à la brigue**: je ne voulus pas écouter ceux qui n'agissaient que dans leurs propres intérêts.
2. **Je lui laissai sans fruit consumer sa tendresse**: je le laissai faire preuve de tendresse vainement (puisque Claude et Agrippine n'ont pas eu d'enfant ensemble).
3. **Mille bruits en courent à ma honte**: mille rumeurs se répandent pour ma plus grande honte.
4. **Prompte**: rapide.
5. **Sous mes auspices**: sous ma direction.
6. **Dans Rome les autels fumaient de sacrifices**: dans les temples de la ville, on brûlait les offrandes destinées à demander aux dieux la guérison de Claude.

Par mes ordres trompeurs tout le peuple excité
1190 Du prince déjà mort demandait la santé.
Enfin des légions l'entière obéissance
Ayant de votre empire affermi la puissance,
On vit Claude, et le peuple étonné de son sort
Apprit en même temps votre règne, et sa mort.
1195 C'est le sincère aveu que je voulais vous faire.
Voilà tous mes forfaits[1]. En voici le salaire.
Du fruit de tant de soins à peine jouissant
En avez-vous six mois paru reconnaissant,
Que lassé d'un respect, qui vous gênait peut-être,
1200 Vous avez affecté de ne me plus connaître.
J'ai vu Burrhus, Sénèque, aigrissant[2] vos soupçons
De l'infidélité vous tracer des leçons,
Ravis d'être vaincus dans leur propre science.
J'ai vu favoriser de votre confiance
1205 Othon, Sénécion[3], jeunes voluptueux,
Et de tous vos plaisirs flatteurs respectueux.
Et lorsque vos mépris excitant mes murmures,
Je vous ai demandé raison de tant d'injures,
(Seul recours d'un ingrat qui se voit confondu)
1210 Par de nouveaux affronts vous m'avez répondu.
Aujourd'hui je promets Junie à votre frère,
Ils se flattent tous deux du choix de votre mère,
Que faites-vous ? Junie enlevée à la cour
Devient en une nuit l'objet de votre amour.
1215 Je vois de votre cœur Octavie effacée
Prête à sortir du lit, où je l'avais placée.

---

1. **Forfaits** : crimes.
2. **Aigrissant** : ravivant.
3. **Othon** (32-69 ap. J.-C.) : septième empereur de Rome ; il fut l'ami et le favori de Néron dans sa jeunesse ; **Sénécion** (Ier siècle ap. J.-C.) : fils d'un affranchi, favori et confident de Néron.

Je vois Pallas banni, votre frère arrêté,
Vous attentez[1] enfin jusqu'à ma liberté,
Burrhus ose sur moi porter ses mains hardies.
1220 Et lorsque convaincu de tant de perfidies[2]
Vous deviez ne me voir que pour les expier,
C'est vous, qui m'ordonnez de me justifier.

NÉRON

Je me souviens toujours que je vous dois l'empire.
Et sans vous fatiguer du soin de le redire,
1225 Votre bonté, Madame, avec tranquillité
Pouvait se reposer sur ma fidélité.
Aussi bien ces soupçons, ces plaintes assidues
Ont fait croire à tous ceux qui les ont entendues,
Que jadis (j'ose ici vous le dire entre nous)
1230 Vous n'aviez, sous mon nom, travaillé que pour vous.
Tant d'honneurs (disaient-ils) *et tant de déférences*[3]
Sont-ce de ses bienfaits de faibles récompenses ?
Quel crime a donc commis ce fils tant condamné ?
Est-ce pour obéir qu'elle l'a couronné ?
1235 *N'est-il de son pouvoir que le dépositaire ?*
Non, que si jusque-là j'avais pu vous complaire[4],
Je n'eusse pris plaisir, Madame, à vous céder
Ce pouvoir que vos cris semblaient redemander :
Mais Rome veut un maître, et non une maîtresse.
1240 Vous entendiez les bruits qu'excitait ma faiblesse.
Le sénat chaque jour, et le peuple irrités
De s'ouïr par ma voix dicter vos volontés,
Publiaient qu'en mourant Claude avec sa puissance
M'avait encor laissé sa simple obéissance.

1. **Attentez** : menacez.
2. **Perfidies** : trahisons.
3. **Déférences** : marques de respect.
4. **Vous complaire** : répondre à vos attentes.

1245 Vous avez vu cent fois nos soldats en courroux
Porter en murmurant leurs aigles devant vous[1],
Honteux de rabaisser par cet indigne usage
Les héros, dont encore elles portent l'image.
Toute autre se serait rendue à leurs discours,
1250 Mais si vous ne régnez, vous vous plaignez toujours.
Avec Britannicus contre moi réunie
Vous le fortifiez du parti de Junie[2],
Et la main de Pallas trame tous ces complots.
Et lorsque malgré moi, j'assure mon repos,
1255 On vous voit de colère, et de haine animée.
Vous voulez présenter mon rival à l'armée.
Déjà jusques au camp le bruit en a couru.

AGRIPPINE

Moi le faire empereur, ingrat ? L'avez-vous cru ?
Quel serait mon dessein ? Qu'aurais-je pu prétendre ?
1260 Quels honneurs dans sa cour, quel rang pourrais-je attendre ?
Ah ! si sous votre empire on ne m'épargne pas,
Si mes accusateurs observent tous mes pas,
Si de leur empereur ils poursuivent la mère,
Que ferais-je au milieu d'une cour étrangère ?
1265 Ils me reprocheraient, non des cris impuissants,
Des desseins étouffés aussitôt que naissants,
Mais des crimes pour vous commis à votre vue ;
Et dont je ne serais que trop tôt convaincue[3].
Vous ne me trompez point, je vois tous vos détours[4],
1270 Vous êtes un ingrat, vous le fûtes toujours.
Dès vos plus jeunes ans mes soins et mes tendresses
N'ont arraché de vous que de feintes caresses.

---

1. **Porter en murmurant les aigles devant vous** : protester en vous présentant les emblèmes militaires.
2. **Vous le fortifiez du parti de Junie** : vous l'encouragez à épouser Junie.
3. **Convaincue** : accusée.
4. **Détours** : ruses.

Rien ne vous a pu vaincre, et votre dureté
Aurait dû dans son cours arrêter ma bonté.
1275 Que je suis malheureuse ! Et par quelle infortune
Faut-il que tous mes soins me rendent importune ?
Je n'ai qu'un fils. Ô ciel, qui m'entends aujourd'hui,
T'ai-je fait quelques vœux qui ne fussent pour lui ?
Remords, crainte, périls, rien ne m'a retenue.
1280 J'ai vaincu ses mépris, j'ai détourné ma vue
Des malheurs qui dès lors me furent annoncés.
J'ai fait ce que j'ai pu, vous régnez, c'est assez.
Avec ma liberté, que vous m'avez ravie,
Si vous le souhaitez prenez encor ma vie ;
1285 Pourvu que par ma mort tout le peuple irrité
Ne vous ravisse pas ce qui m'a tant coûté.

NÉRON

Eh bien donc, prononcez, que voulez-vous qu'on fasse ?

AGRIPPINE

De mes accusateurs qu'on punisse l'audace,
Que de Britannicus on calme le courroux,
1290 Que Junie à son choix puisse prendre un époux,
Qu'ils soient libres tous deux, et que Pallas demeure,
Que vous me permettiez de vous voir à toute heure,
Que ce même Burrhus, qui nous vient écouter,
À votre porte enfin n'ose plus m'arrêter.

NÉRON

1295 Oui, Madame, je veux que ma reconnaissance
Désormais dans les cœurs grave votre puissance,
Et je bénis déjà cette heureuse froideur
Qui de notre amitié va rallumer l'ardeur.
Quoi que Pallas ait fait, il suffit, je l'oublie,
1300 Avec Britannicus je me réconcilie,

Et quant à cet amour qui nous a séparés,
Je vous fais notre arbitre, et vous nous jugerez.
Allez donc, et portez cette joie à mon frère.
Gardes, qu'on obéisse aux ordres de ma mère.

Scène 3

NÉRON, BURRHUS

BURRHUS

1305 Que cette paix, Seigneur, et ces embrassements
Vont offrir à mes yeux des spectacles charmants !
Vous savez si jamais ma voix lui fut contraire,
Si de son amitié j'ai voulu vous distraire,
Et si j'ai mérité cet injuste courroux[1].

NÉRON

1310 Je ne vous flatte point, je me plaignais de vous,
Burrhus, je vous ai crus tous deux d'intelligence[2].
Mais son inimitié vous rend ma confiance,
Elle se hâte trop, Burrhus, de triompher.
J'embrasse mon rival, mais c'est pour l'étouffer.

BURRHUS

1315 Quoi, Seigneur ?

NÉRON

C'en est trop. Il faut que sa ruine
Me délivre à jamais des fureurs d'Agrippine.

---

1. Burrhus se justifie ici des attaques lancées par Agrippine lors de la scène précédente.
2. Tous deux d'intelligence : tous les deux complices.

Tant qu'il respirera je ne vis qu'à demi.
Elle m'a fatigué de ce nom ennemi,
Et je ne prétends pas que sa coupable audace
1320 Une seconde fois lui promette ma place.

BURRHUS

Elle va donc bientôt pleurer Britannicus.

NÉRON

Avant la fin du jour je ne le craindrai plus.

BURRHUS

Et qui de ce dessein vous inspire l'envie ?

NÉRON

Ma gloire, mon amour, ma sûreté, ma vie.

BURRHUS

1325 Non, quoi que vous disiez, cet horrible dessein
Ne fut jamais, Seigneur, conçu dans votre sein[1].

NÉRON

Burrhus !

BURRHUS

De votre bouche, ô ciel ! puis-je l'apprendre ?
Vous-même sans frémir avez-vous pu l'entendre ?
Songez-vous dans quel sang vous allez vous baigner ?
1330 Néron dans tous les cœurs est-il las de régner ?
Que dira-t-on de vous ? Quelle est votre pensée ?

NÉRON

Quoi ? toujours enchaîné de ma gloire passée
J'aurai devant les yeux je ne sais quel amour,
Que le hasard nous donne et nous ôte en un jour ?

---

1. **Dans votre sein** : dans votre cœur.

1335 Soumis à tous leurs vœux, à mes désirs contraire[1]
Suis-je leur empereur seulement pour leur plaire ?

BURRHUS

Et ne suffit-il pas, Seigneur, à vos souhaits
Que le bonheur public soit un de vos bienfaits ?
C'est à vous à choisir, vous êtes encor maître.
1340 Vertueux jusqu'ici vous pouvez toujours l'être.
Le chemin est tracé, rien ne vous retient plus.
Vous n'avez qu'à marcher de vertus en vertus.
Mais si de vos flatteurs vous suivez la maxime[2],
Il vous faudra, Seigneur, courir de crime en crime,
1345 Soutenir vos rigueurs, par d'autres cruautés,
Et laver dans le sang vos bras ensanglantés.
Britannicus mourant excitera le zèle
De ses amis tout prêts à prendre sa querelle[3].
Ces vengeurs trouveront de nouveaux défenseurs,
1350 Qui même après leur mort auront des successeurs.
Vous allumez un feu qui ne pourra s'éteindre.
Craint de tout l'univers il vous faudra tout craindre,
Toujours punir, toujours trembler dans vos projets,
Et pour vos ennemis compter tous vos sujets.
1355 Ah ! de vos premiers ans l'heureuse expérience
Vous fait-elle, Seigneur, haïr votre innocence ?
Songez-vous au bonheur qui les a signalés ?
Dans quel repos, ô ciel ! les avcz-vous coulés ?
Quel plaisir de penser et de dire en vous-même,
1360 *Partout, en ce moment, on me bénit, on m'aime.*
On ne voit point le peuple à mon nom s'alarmer,
Le ciel dans tous leurs pleurs ne m'entend point nommer.

---

1. **À mes désirs contraire** : sans que je ne respecte mes désirs.
2. **Maxime** : règle de conduite.
3. **Prendre sa querelle** : défendre son parti.

Leur sombre inimitié ne fuit point mon visage,
Je vois voler partout les cœurs à mon passage !
1365 Tels étaient vos plaisirs. Quel changement, ô dieux !
Le sang le plus abject[1] vous était précieux.
Un jour, il m'en souvient, le sénat équitable
Vous pressait de souscrire à[2] la mort d'un coupable,
Vous résistiez, Seigneur, à leur sévérité,
1370 Votre cœur s'accusait de trop de cruauté,
Et plaignant les malheurs attachés à l'empire,
Je voudrais, disiez-vous, *ne savoir pas écrire.*
Non, ou vous me croirez, ou bien de ce malheur
Ma mort m'épargnera la vue et la douleur.
1375 On ne me verra point survivre à votre gloire.
Si vous allez commettre une action si noire,

(Il se jette à genoux.)

Me voilà prêt, Seigneur, avant que de partir,
Faites percer ce cœur qui n'y peut consentir.
Appelez les cruels qui vous l'ont inspirée,
1380 Qu'ils viennent essayer leur main mal assurée.
Mais je vois que mes pleurs touchent mon empereur,
Je vois que sa vertu frémit de leur fureur.
Ne perdez point de temps, nommez-moi les perfides
Qui vous osent donner ces conseils parricides[3].
1385 Appelez votre frère, oubliez dans ses bras…

NÉRON

Ah ! que demandez-vous ?

BURRHUS

Non, il ne vous hait pas,
Seigneur, on le trahit, je sais son innocence,
Je vous réponds pour lui de son obéissance.

---

1. **Abject** : vil, méprisable.
2. **Souscrire à** : approuver en apposant sa signature.
3. **Parricides** : qui concernent le meurtre d'un membre de sa famille.

J'y cours. Je vais presser un entretien si doux.

NÉRON

1390 Dans mon appartement qu'il m'attende avec vous.

Scène 4

NÉRON, NARCISSE

NARCISSE

Seigneur, j'ai tout prévu pour une mort si juste.
Le poison est tout prêt. La fameuse Locuste
A redoublé pour moi ses soins officieux[1].
Elle a fait expirer[2] un esclave à mes yeux ;
1395 Et le fer est moins prompt pour trancher une vie
Que le nouveau poison que sa main me confie.

NÉRON

Narcisse, c'est assez, je reconnais ce soin,
Et ne souhaite pas que vous alliez plus loin.

NARCISSE

Quoi ! pour Britannicus votre haine affaiblie
1400 Me défend…

NÉRON

Oui, Narcisse, on nous réconcilie.

---

1. **Officieux** : complaisants, destinés à rendre service.
2. **Expirer** : mourir.

NARCISSE

Je me garderai bien de vous en détourner,
Seigneur. Mais il s'est vu tantôt emprisonner.
Cette offense en son cœur sera longtemps nouvelle[1].
Il n'est point de secrets que le temps ne révèle.
1405 Il saura que ma main lui devait présenter
Un poison que votre ordre avait fait apprêter.
Les dieux de ce dessein puissent-ils le distraire !
Mais peut-être il fera ce que vous n'osez faire.

NÉRON

On répond de son cœur[2], et je vaincrai le mien.

NARCISSE

1410 Et l'hymen de Junie en est-il le lien ?
Seigneur, lui faites-vous encor ce sacrifice ?

NÉRON

C'est prendre trop de soin. Quoi qu'il en soit, Narcisse,
Je ne le compte plus parmi mes ennemis.

NARCISSE

Agrippine, Seigneur, se l'était bien promis.
1415 Elle a repris sur vous son souverain[3] empire.

NÉRON

Quoi donc ? Qu'a-t-elle dit ? Et que voulez-vous dire ?

---

1. **Nouvelle** : vive, présente à son esprit.
2. **On répond de son cœur** : on m'assure de sa bonne foi.
3. **Souverain** : suprême.

NARCISSE

Elle s'en est vantée assez publiquement.

NÉRON

De quoi ?

NARCISSE

Qu'elle n'avait qu'à vous voir un moment :
Qu'à tout ce grand éclat, à ce courroux funeste
1420 On verrait succéder un silence modeste,
Que vous-même à la paix souscririez le premier,
Heureux que sa bonté daignât tout oublier.

NÉRON

Mais, Narcisse, dis-moi, que veux-tu que je fasse ?
Je n'ai que trop de pente à[1] punir son audace.
1425 Et si je m'en croyais ce triomphe indiscret
Serait bientôt suivi d'un éternel regret.
Mais de tout l'univers quel sera le langage ?
Sur les pas des tyrans veux-tu que je m'engage,
Et que Rome effaçant tant de titres d'honneur
1430 Me laisse pour tous noms celui d'empoisonneur ?
Ils mettront ma vengeance au rang des parricides.

NARCISSE

Et prenez-vous, Seigneur, leurs caprices pour guides ?
Avez-vous prétendu qu'ils se tairaient toujours ?
Est-ce à vous de prêter l'oreille à leurs discours ?
1435 De vos propres désirs perdrez-vous la mémoire ?
Et serez-vous le seul que vous n'oserez croire ?
Mais, Seigneur, les Romains ne vous sont pas connus.
Non non, dans leurs discours ils sont plus retenus.

---

1. **Trop de pente à** : trop envie de.

Tant de précaution affaiblit votre règne.
1440 Ils croiront en effet mériter qu'on les craigne.
Au joug depuis longtemps ils se sont façonnés.
Ils adorent la main qui les tient enchaînés.
Vous les verrez toujours ardents à vous complaire.
Leur prompte servitude[1] a fatigué Tibère.
1445 Moi-même revêtu d'un pouvoir emprunté[2],
Que je reçus de Claude avec la liberté,
J'ai cent fois dans le cours de ma gloire passée
Tenté leur patience, et ne l'ai point lassée.
D'un empoisonnement vous craignez la noirceur?
1450 Faites périr le frère, abandonnez la sœur.
Rome sur ses autels prodiguant les victimes[3],
Fussent-ils innocents, leur trouvera des crimes.
Vous verrez mettre au rang des jours infortunés
Ceux où jadis la sœur et le frère sont nés.

NÉRON

1455 Narcisse, encore un coup[4], je ne puis l'entreprendre.
J'ai promis à Burrhus, il a fallu me rendre.
Je ne veux point encore en lui manquant de foi
Donner à sa vertu des armes contre moi.
J'oppose à ses raisons un courage inutile,
1460 Je ne l'écoute point avec un cœur tranquille.

NARCISSE

Burrhus ne pense pas, Seigneur, tout ce qu'il dit.
Son adroite vertu ménage son crédit.
Ou plutôt ils n'ont tous qu'une même pensée:
Ils verraient par ce coup leur puissance abaissée:

---

1. **Leur prompte servitude**: leur obéissance dévouée.
2. Narcisse fut chargé de responsabilités administratives importantes par l'empereur Claude.
3. **Sur ses autels prodiguant les victimes**: multipliant les sacrifices aux dieux.
4. **Encore un coup**: encore une fois.

1465 Vous seriez libre alors, Seigneur, et devant vous
Ces maîtres orgueilleux fléchiraient comme nous.
Quoi donc ! ignorez-vous tout ce qu'ils osent dire ?
Néron, s'ils en sont crus, *n'est point né pour l'empire.*
Il ne dit, il ne fait, que ce qu'on lui prescrit.
1470 *Burrhus conduit son cœur, Sénèque son esprit.*
Pour toute ambition, pour vertu singulière,
Il excelle à conduire un char dans la carrière,
À disputer des prix indignes de ses mains,
À se donner lui-même en spectacle aux Romains,
1475 *À venir prodiguer sa voix sur un théâtre,*
À réciter des chants qu'il veut qu'on idolâtre,
Tandis que des soldats de moments en moments
Vont arracher pour lui les applaudissements.
Ah ! ne voulez-vous pas les forcer à se taire ?

NÉRON

1480 Viens, Narcisse. Allons voir ce que nous devons faire.

Arrêt sur lecture 4

Pour comprendre l'essentiel

Les différents face-à-face de Néron

❶ Dans la scène 2, Agrippine s'entretient avec Néron. Dites si elle cherche par ce moyen à justifier ses actes ou à accuser son fils.

❷ À la scène 3, Burrhus, qui vient d'apprendre que Néron voulait tuer Britannicus, vante les mérites d'un pouvoir exercé vertueusement. Reformulez ses arguments.

❸ La scène 4 est celle du dernier face-à-face : celui de Néron et Narcisse. Expliquez par quels procédés ce dernier réussit à persuader Néron d'empoisonner son frère.

Une paix apparente

❹ Le spectateur attend depuis le début de la pièce l'entretien entre Néron et sa mère. Dites ce qui laisse entendre qu'Agrippine a retrouvé son pouvoir.

❺ À la scène 2, Néron accuse Agrippine de vouloir dresser Britannicus contre lui, ce qui provoque l'indignation de sa mère. Montrez que la réponse d'Agrippine à la question de Néron (v. 1287) semble le convaincre et ainsi dénouer la situation tragique.

❻ Néron paraît convaincu par les arguments de Burrhus et semble finalement décidé à épargner Britannicus. Montrez-le en étudiant les modalités des phrases dans la scène 3.

Le destin en marche

❼ Néron semble incapable de prendre des décisions par lui-même. Comparez les vers 1287, 1386 et 1423, et analysez la valeur de ces différentes interrogations. Vous vous demanderez ensuite en quoi cette incertitude fait de Néron un personnage entraîné malgré lui vers son destin de «monstre».

❽ Dans la scène 2, Agrippine manifeste sa toute-puissance. Reformulez les répliques de Néron des vers 1287 et 1304, puis rappelez la décision du personnage à la scène 3 pour montrer que ces deux attitudes sont contradictoires. Caractérisez ensuite la relation qui unit le fils à sa mère dans cet acte.

❾ Lorsque Néron prononce la dernière réplique de l'acte, le spectateur comprend que le dénouement est imminent. Montrez en quoi la brièveté et la modalité de la phrase annoncent la détermination de l'empereur.

Rappelez-vous!

- Dans une tragédie, la tension dramatique est ménagée par des **pauses**, des moments de détente. Ici, par exemple, on peut croire à première vue à un **coup de théâtre**, lorsque Burrhus semble convaincre Néron d'épargner Britannicus. Pourtant, le dénouement tragique est inéluctable. À cet égard, le rôle de Narcisse est déterminant: sa parole manipulatrice ravive l'orgueil de Néron et le pousse au crime.
- L'acte IV de *Britannicus* met en évidence les **relations troubles et complexes entre Néron et sa mère**. Les crimes d'Agrippine ont fait de Néron le «monstre naissant» que Racine peint ici.

Vers l'oral du Bac

Analyse de la scène 4 de l'acte IV, v. 1423-1454, p. 109-110

☛ Analyser la stratégie de persuasion de Narcisse

Conseils pour la lecture à voix haute

– L'extrait présente de très nombreuses phrases interrogatives. Veillez à rendre votre lecture expressive.

– Les vers sont souvent ponctués par des virgules dans cet extrait : n'oubliez pas cependant que la seule vraie pause dans le vers a lieu après la sixième syllabe, à l'hémistiche.

Analyse du texte

■ *Introduction*

Alors que Burrhus semblait avoir apaisé la fureur meurtrière de Néron dans la scène 3, Narcisse, lui, la réveille à la scène 4. Narcisse, le traître, met en effet tout en œuvre pour pousser Néron à tuer Britannicus. L'extrait suivant nous dévoile l'une des dernières hésitations de l'empereur. Nous nous demanderons comment fonctionne l'argumentation de Narcisse en étudiant dans un premier temps le jeu de questions dans cet extrait, puis l'image de Rome véhiculée par les répliques contradictoires de Néron et de Narcisse. Enfin, nous verrons comment le dramaturge invite le spectateur à relire l'histoire romaine sous un autre jour.

■ *Analyse guidée*

I. Hésitations et persuasion

a. Néron, dans sa première réplique, paraît troublé. Analysez les différentes phrases interrogatives de son discours, et montrez qu'elles mettent en évidence les hésitations et les questionnements profonds du personnage.

b. Narcisse est bien plus déterminé que Néron. Observez les questions posées par le personnage au début de sa réplique. Qualifiez ce type de questions et montrez que celles-ci ont une valeur d'affirmation.

c. Narcisse sait qu'il peut encore persuader l'empereur de tuer Britannicus. En vous appuyant sur l'analyse des modalités des phrases prononcées par Narcisse, dites comment celui-ci finit par dicter sa conduite à Néron.

II. Une vision contrastée de Rome

a. Néron évoque les empereurs romains qui l'ont précédé. Observez les vers 1428-1431 et montrez que Néron est soucieux de sa réputation d'empereur et que c'est ce qui le retient de commettre un meurtre.

b. Rome constitue un personnage à part entière dans cette pièce où le pouvoir politique est au cœur de l'intrigue. Dites quelle image de Rome Narcisse cherche à présenter et en quoi celle-ci joue un rôle dans son argumentation.

c. L'arrière-plan historique constitue l'un des intérêts majeurs de la pièce. En vous appuyant sur les repères historiques en fin d'ouvrage (p. 186) et sur vos recherches personnelles, dites qui sont les personnages cités dans la réplique de Narcisse. Montrez ensuite comment le fait d'évoquer sa propre situation suggère sa vanité et son désir de pouvoir.

III. Une nouvelle lecture de l'histoire romaine

a. Néron hésite à tuer Britannicus. Il évoque pourtant sa « pente » (v. 1424) naturelle. Relisez sa réplique et expliquez en quoi on peut parler de fatalité.

b. Le discours de Narcisse semble pousser l'empereur au crime. Montrez, à l'aide d'exemples précis, comment le dramaturge insiste sur la bassesse morale du gouverneur.

c. Néron craint que sa réputation d'empereur ne soit entachée par ce meurtre. En vous aidant du groupement de textes « Les crimes de Néron » (p. 158), montrez qu'à travers sa réplique vers 1430, Racine crée un lien de connivence avec le public.

■ *Conclusion*

Néron est un monstre, Néron a fait assassiner sa mère : voilà ce que l'histoire a retenu de cet empereur. Pourtant, dans cette dernière scène de l'acte IV, rien n'est encore joué. Le spectateur sait ce qui va se passer, mais Néron lui-même ne le sait pas encore et ce décalage met en valeur l'ironie tragique de l'extrait. Par ailleurs, le fait de clore l'acte par un entretien entre Néron et Narcisse, qui représente le vice, annonce la suite de l'action de façon encore plus certaine. Mais n'est-ce pas là une façon d'affranchir Néron d'une partie de ses crimes ?

Les trois questions de l'examinateur

Question 1. Narcisse est présenté comme un affranchi. En vous aidant de la note 1 page 32, rappelez la définition de ce mot. Pourquoi, à votre avis, Racine a-t-il choisi un affranchi pour représenter le vice ?

Question 2. Quelle est la différence entre l'acte de *convaincre* et celui de *persuader* ? Donnez des exemples dans la pièce.

Question 3. Quelles réactions peut-on attendre du spectateur à la fin de ce quatrième acte ?

ACTE V

Scène 1

BRITANNICUS, JUNIE

BRITANNICUS

Oui, Madame, Néron (qui l'aurait pu penser ?)
Dans son appartement m'attend pour m'embrasser.
Il y fait de sa cour inviter la jeunesse.
Il veut que d'un festin la pompe et l'allégresse
485 Confirment à leurs yeux la foi de nos serments,
Et réchauffent l'ardeur de nos embrassements.
Il éteint cet amour source de tant de haine,
Il vous fait de mon sort arbitre souveraine.
Pour moi, quoique banni du rang de mes aïeux,
490 Quoique de leur dépouille il se pare à mes yeux,
Depuis qu'à mon amour cessant d'être contraire,
Il semble me céder la gloire de vous plaire ;
Mon cœur, je l'avouerai, lui pardonne en secret,
Et lui laisse le reste avec moins de regret.
495 Quoi ! je ne serai plus séparé de vos charmes ?
Quoi ! même en ce moment je puis voir sans alarmes
Ces yeux que n'ont émus ni soupirs, ni terreur,
Qui m'ont sacrifié l'empire et l'empereur ?

Ah Madame ! Mais quoi ? Quelle nouvelle crainte
1500 Tient parmi mes transports votre joie en contrainte[1] ?
D'où vient qu'en m'écoutant, vos yeux, vos tristes yeux
Avec de longs regards se tournent vers les cieux ?
Qu'est-ce que vous craignez ?

JUNIE

Je l'ignore moi-même.
Mais je crains.

BRITANNICUS

Vous m'aimez ?

JUNIE

Hélas, si je vous aime ?

BRITANNICUS

1505 Néron ne trouble plus notre félicité[2].

JUNIE

Mais me répondez-vous de sa sincérité ?

BRITANNICUS

Quoi ? vous le soupçonnez d'une haine couverte[3] ?

JUNIE

Néron m'aimait tantôt, il jurait votre perte.
Il me fuit, il vous cherche. Un si grand changement
1510 Peut-il être, Seigneur, l'ouvrage d'un moment ?

---

1. **Tient parmi mes transports votre joie en contrainte** : empêche votre joie d'éclater.
2. **Félicité** : bonheur.
3. **Couverte** : dissimulée, secrète.

BRITANNICUS

Cet ouvrage, Madame, est un coup d'Agrippine.
Elle a cru que ma perte entraînait sa ruine.
Grâce aux préventions de son esprit jaloux,
Nos plus grands ennemis ont combattu pour nous.
515 Je m'en fie aux transports qu'elle m'a fait paraître.
Je m'en fie à Burrhus. J'en crois même son maître.
Je crois, qu'à mon exemple[1] impuissant à trahir
Il hait à cœur ouvert, ou cesse de haïr.

JUNIE

Seigneur, ne jugez pas de son cœur par le vôtre.
20 Sur des pas différents vous marchez l'un et l'autre.
Je ne connais Néron et la cour que d'un jour.
Mais (si je l'ose dire) hélas ! dans cette cour,
Combien tout ce qu'on dit est loin de ce qu'on pense !
Que la bouche et le cœur sont peu d'intelligence[2] !
25 Avec combien de joie on y trahit sa foi !
Quel séjour étranger et pour vous et pour moi !

BRITANNICUS

Mais que son amitié soit véritable ou feinte,
Si vous craignez Néron, lui-même est-il sans crainte ?
Non non, il n'ira point par un lâche attentat
30 Soulever contre lui le peuple et le sénat
Que dis-je ? Il reconnaît sa dernière injustice.
Ses remords ont paru, même aux yeux de Narcisse.
Ah ! s'il vous avait dit, ma Princesse, à quel point…

JUNIE

Mais Narcisse, Seigneur, ne vous trahit-il point ?

---

1. **Qu'à mon exemple** : que, comme moi.
2. **Sont peu d'intelligence** : sont divergents.

BRITANNICUS

1535 Et pourquoi voulez-vous que mon cœur s'en défie ?

JUNIE

Et que sais-je ? Il y va, Seigneur, de votre vie.
Tout m'est suspect. Je crains que tout ne soit séduit[1].
Je crains Néron. Je crains le malheur qui me suit.
D'un noir pressentiment malgré moi prévenue,
1540 Je vous laisse à regret éloigner de ma vue.
Hélas ! si cette paix, dont vous vous repaissez[2],
Couvrait contre vos jours quelques pièges dressés !
Si Néron irrité de notre intelligence
Avait choisi la nuit pour cacher sa vengeance !
1545 S'il préparait ses coups tandis que je vous vois !
Et si je vous parlais pour la dernière fois !
Ah Prince !

BRITANNICUS

Vous pleurez ! Ah ma chère Princesse !
Et pour moi jusque-là votre cœur s'intéresse[3] ?
Quoi Madame ! en un jour, où plein de sa grandeur
1550 Néron croit éblouir vos yeux de sa splendeur,
Dans des lieux où chacun me fuit et le révère,
Aux pompes de sa cour préférer ma misère ?
Quoi ! dans ce même jour, et dans ces mêmes lieux
Refuser un empire et pleurer à mes yeux !
1555 Mais, Madame, arrêtez ces précieuses larmes ;
Mon retour va bientôt dissiper vos alarmes.
Je me rendrais suspect par un plus long séjour.
Adieu, je vais le cœur tout plein de mon amour,
Au milieu des transports d'une aveugle jeunesse,
1560 Ne voir, n'entretenir que ma belle princesse.

---

1. **Je crains que tout ne soit séduit** : j'ai peur que tout ne soit corrompu.
2. **Repaissez** : délectez.
3. **S'intéresse** : prend parti pour moi.

Adieu.

JUNIE

Prince…

BRITANNICUS

On m'attend, Madame, il faut partir.

JUNIE

Mais du moins attendez qu'on vous vienne avertir.

Scène 2

AGRIPPINE, BRITANNICUS, JUNIE

AGRIPPINE

Prince, que tardez-vous ? Partez en diligence[1].
Néron impatient se plaint de votre absence.
55 La joie et le plaisir de tous les conviés
Attend pour éclater que vous vous embrassiez.
Ne faites point languir[2] une si juste envie,
Allez. Et nous, Madame, allons chez Octavie.

BRITANNICUS

Allez, belle Junie, et d'un esprit content
70 Hâtez-vous d'embrasser ma sœur qui vous attend.
Dès que je le pourrai je reviens sur vos traces,
Madame, et de vos soins j'irai vous rendre grâces.

1. **En diligence** : rapidement.
2. **Languir** : attendre.

Scène 3

AGRIPPINE, JUNIE

AGRIPPINE

Madame, ou je me trompe, ou durant vos adieux
Quelques pleurs répandus ont obscurci vos yeux.
1575 Puis-je savoir quel trouble a formé ce nuage ?
Doutez-vous d'une paix dont je fais mon ouvrage ?

JUNIE

Après tous les ennuis que ce jour m'a coûtés,
Ai-je pu rassurer mes esprits agités ?
Hélas ! à peine encor je conçois ce miracle.
1580 Quand même à vos bontés je craindrais quelque obstacle,
Le changement, Madame, est commun à la cour,
Et toujours quelque crainte accompagne l'amour.

AGRIPPINE

Il suffit, j'ai parlé, tout a changé de face.
Mes soins à vos soupçons ne laissent point de place.
1585 Je réponds[1] d'une paix jurée entre mes mains,
Néron m'en a donné des gages[2] trop certains.
Ah ! si vous aviez vu par combien de caresses
Il m'a renouvelé la foi de ses promesses !
Par quels embrassements il vient de m'arrêter !
1590 Ses bras dans nos adieux ne pouvaient me quitter.
Sa facile bonté sur son front répandue
Jusqu'aux moindres secrets est d'abord descendue.
Il s'épanchait en fils, qui vient en liberté
Dans le sein de sa mère oublier sa fierté.

---

1. **Je réponds** : je me porte garante.
2. **Gages** : ici, preuves.

Mais bientôt reprenant un visage sévère,
Tel que d'un empereur qui consulte sa mère,
Sa confidence auguste a mis entre mes mains
Des secrets d'où dépend le destin des humains.
Non, il le faut ici confesser à sa gloire[1].
Son cœur n'enferme point une malice noire[2],
Et nos seuls ennemis altérant sa bonté
Abusaient contre nous de sa facilité[3].
Mais enfin à son tour leur puissance décline.
Rome encore une fois va connaître Agrippine.
Déjà, de ma faveur on adore le bruit[4].
Cependant en ces lieux n'attendons pas la nuit,
Passons chez Octavie, et donnons-lui le reste
D'un jour autant heureux que je l'ai cru funeste.
Mais qu'est-ce que j'entends ? Quel tumulte confus ?
Que peut-on faire ?

JUNIE

Ô ciel ! sauvez Britannicus !

1. **Ici confesser à sa gloire** : à présent lui reconnaître ce mérite.
2. **Malice noire** : méchanceté criminelle.
3. **Facilité** : manque de fermeté.
4. **De ma faveur on adore le bruit** : on se réjouit d'apprendre que je bénéficie du soutien de l'empereur.

Scène 4

AGRIPPINE, JUNIE, BURRHUS

AGRIPPINE

Burrhus, où courez-vous ? Arrêtez. Que veut dire…

BURRHUS

Madame, c'en est fait, Britannicus expire.

JUNIE

Ah ! mon Prince !

AGRIPPINE

Il expire ?

BURRHUS

Ou plutôt il est mort,

Madame.

JUNIE

Pardonnez, Madame, à ce transport.

1615 Je vais le secourir, si je puis, ou le suivre.

Scène 5

AGRIPPINE, BURRHUS

AGRIPPINE

Quel attentat, Burrhus !

BURRHUS

Je n'y pourrai survivre,
Madame, il faut quitter la cour et l'empereur.

AGRIPPINE

Quoi ! du sang de son frère il n'a point eu d'horreur ?

BURRHUS

Ce dessein s'est conduit avec plus de mystère.
20 À peine l'empereur a vu venir son frère,
Il se lève, il l'embrasse, on se tait, et soudain
César prend le premier une coupe à la main.
Pour achever ce jour sous de meilleurs auspices[1],
Ma main de cette coupe épanche les prémices[2],
25 Dit-il, *dieux, que j'appelle à cette effusion*[3],
Venez favoriser notre réunion.
Par les mêmes serments Britannicus se lie.
La coupe dans ses mains par Narcisse est remplie.
Mais ses lèvres à peine en ont touché les bords,
30 Le fer ne produit point de si puissants efforts,
Madame, la lumière à ses yeux est ravie,
Il tombe sur son lit sans chaleur et sans vie.

---

1. **Sous de meilleurs auspices** : dans de meilleures dispositions.
2. **Épanche les prémices** : répand les premières gouttes.
3. **Effusion** : action de répandre du vin en l'honneur d'une divinité.

Jugez combien ce coup frappe tous les esprits.
La moitié s'épouvante et sort avec des cris.
1635 Mais ceux qui de la cour ont un plus long usage[1]
Sur les yeux de César composent leur visage[2].
Cependant sur son lit il demeure penché,
D'aucun étonnement il ne paraît touché.
Ce mal dont vous craignez, dit-il, *la violence*
1640 *A souvent sans péril attaqué son enfance*[3].
Narcisse veut en vain affecter quelque ennui,
Et sa perfide joie éclate malgré lui.
Pour moi, dût l'empereur punir ma hardiesse[4],
D'une odieuse cour j'ai traversé la presse[5],
1645 Et j'allais accablé de cet assassinat
Pleurer Britannicus, César et tout l'État.

AGRIPPINE

Le voici. Vous verrez si c'est moi qui l'inspire.

---

1. **Ont un plus long usage**: ont davantage l'habitude.
2. **Sur les yeux de César composent leur visage**: adoptent une expression conforme à celle de l'empereur.
3. Britannicus était sujet à des crises d'épilepsie dans son enfance.
4. **Hardiesse**: audace.
5. **La presse**: la foule.

Scène 6

Agrippine, Néron, Burrhus, Narcisse

Néron, *voyant Agrippine.*

Dieux !

Agrippine

Arrêtez, Néron. J'ai deux mots à vous dire.
Britannicus est mort, je reconnais les coups.
Je connais l'assassin.

Néron

Et qui, Madame ?

Agrippine

Vous.

Néron

Moi ! Voilà les soupçons dont vous êtes capable.
Il n'est point de malheur dont je ne sois coupable.
Et si l'on veut, Madame, écouter vos discours,
Ma main de Claude même aura tranché les jours[1].
Son fils vous était cher, sa mort peut vous confondre.
Mais des coups du destin je ne puis pas répondre.

Agrippine

Non, non, Britannicus est mort empoisonné.
Narcisse a fait le coup, vous l'avez ordonné.

---

1. Néron fait ici preuve d'ironie puisque c'est Agrippine qui a fait empoisonner l'empereur Claude.

NÉRON

Madame, mais qui peut vous tenir ce langage ?

NARCISSE

1660 Hé Seigneur ! ce soupçon vous fait-il tant d'outrage[1] ?
Britannicus, Madame, eut des desseins secrets
Qui vous auraient coûté de plus justes regrets.
Il aspirait plus loin qu'à l'hymen de Junie.
De vos propres bontés il vous aurait punie.
1665 Il vous trompait vous-même et son cœur offensé,
Prétendait tôt ou tard rappeler le passé.
Soit donc que malgré vous le sort vous ait servie ;
Soit qu'instruit des complots qui menaçaient sa vie,
Sur ma fidélité César s'en soit remis,
1670 Laissez les pleurs, Madame, à vos seuls ennemis.
Qu'ils mettent ce malheur au rang des plus sinistres.
Mais vous…

AGRIPPINE

Poursuis, Néron, avec de tels ministres.
Par des faits glorieux tu te vas signaler[2].
Poursuis. Tu n'as pas fait ce pas pour reculer.
1675 Ta main a commencé par le sang de ton frère.
Je prévois que tes coups viendront jusqu'à ta mère.
Dans le fond de ton cœur, je sais que tu me hais.
Tu voudras t'affranchir du joug de mes bienfaits.
Mais je veux que ma mort te soit même inutile :
1680 Ne crois pas qu'en mourant je te laisse tranquille.
Rome, ce ciel, ce jour, que tu reçus de moi,
Partout, à tout moment, m'offriront devant toi.

---

1. **Vous fait-il tant d'outrage** : vous offense-t-il à ce point.
2. **Tu te vas signaler** : tu vas devenir célèbre.

Tes remords te suivront comme autant de furies[1].
Tu croiras les calmer par d'autres barbaries[2].
35 Ta fureur[3] s'irritant soi-même dans son cours
D'un sang toujours nouveau marquera tous tes jours.
Mais j'espère qu'enfin le ciel las de tes crimes
Ajoutera ta perte à tant d'autres victimes,
Qu'après t'être couvert de leur sang et du mien,
90 Tu te verras forcé de répandre le tien;
Et ton nom paraîtra, dans la race future
Aux plus cruels tyrans une cruelle injure.
Voilà ce que mon cœur se présage de toi.
Adieu, tu peux sortir.

NÉRON

Narcisse, suivez-moi.

Scène 7

AGRIPPINE, BURRHUS

AGRIPPINE

95 Ah ciel ! de mes soupçons quelle était l'injustice.
Je condamnais Burrhus, pour écouter Narcisse !
Burrhus avez-vous vu quels regards furieux
Néron en me quittant m'a laissés pour adieux ?
C'en est fait. Le cruel n'a plus rien qui l'arrête :
00 Le coup qu'on m'a prédit va tomber sur ma tête.

1. **Furies** : dans la mythologie latine, divinités chargées de la vengeance divine.
2. **Barbaries** : atrocités.
3. **Fureur** : folie.

Il vous accablera vous-même à votre tour.

BURRHUS

Ah Madame ! pour moi j'ai vécu trop d'un jour,
Plût au ciel, que sa main heureusement cruelle
Eût fait sur moi l'essai de sa fureur nouvelle !
1705 Qu'il ne m'eût pas donné par ce triste attentat
Un gage trop certain des malheurs de l'État !
Son crime seul n'est pas ce qui me désespère ;
Sa jalousie a pu l'armer contre son frère.
Mais s'il vous faut, Madame, expliquer ma douleur,
1710 Néron l'a vu mourir, sans changer de couleur.
Ses yeux indifférents ont déjà la constance
D'un tyran dans le crime endurci dès l'enfance.
Qu'il achève, Madame ; et qu'il fasse périr
Un ministre importun qui ne le peut souffrir.
1715 Hélas ! Loin de vouloir éviter sa colère
La plus soudaine mort me sera la plus chère.

Scène 8

AGRIPPINE, BURRHUS, ALBINE

ALBINE

Ah Madame ! ah Seigneur ! Courez vers l'empereur.
Venez sauver César de sa propre fureur.
Il se voit pour jamais séparé de Junie.

AGRIPPINE

1720 Quoi Junie elle-même a terminé sa vie ?

ALBINE

Pour accabler César d'un éternel ennui,
Madame, sans mourir elle est morte pour lui.
Vous savez de ces lieux comme elle s'est ravie[1].
Elle a feint de passer chez la triste Octavie.
25 Mais bientôt elle a pris des chemins écartés,
Où mes yeux ont suivi ses pas précipités.
Des portes du palais elle sort éperdue[2].
D'abord elle a d'Auguste aperçu la statue ;
Et mouillant de ses pleurs le marbre de ses pieds
30 Que de ses bras pressants elle tenait liés :
Prince, par ces genoux, dit-elle, *que j'embrasse :*
Protège en ce moment le reste de ta race.
Rome dans ton palais vient de voir immoler[3]
Le seul de tes neveux, qui te pût ressembler,
35 *On veut après sa mort que je lui sois parjure*[4].
Mais pour lui conserver une foi toujours pure,
Prince, je me dévoue à ces dieux immortels,
Dont ta vertu t'a fait partager les autels[5].
Le peuple cependant que ce spectacle étonne,
40 Vole de toutes parts, se presse, l'environne,
S'attendrit à ses pleurs, et plaignant son ennui[6]
D'une commune voix la prend sous son appui.
Ils la mènent au temple, où depuis tant d'années
Au culte des autels nos vierges destinées
45 Gardent fidèlement le dépôt précieux
Du feu toujours ardent qui brûle pour nos dieux[7].

---

1. **S'est ravie** : s'est enfuie.
2. **Éperdue** : troublée par la crainte.
3. **Immoler** : mettre à mort.
4. **Que je lui sois parjure** : que je manque à mes serments envers lui.
5. **Autels** : lieux destinés aux sacrifices religieux.
6. **Ennui** : malheur.
7. Il s'agit du temple de Vesta où officient les vestales, prêtresses ayant pour mission d'entretenir le feu sacré dans le temple.

César les voit partir sans oser les distraire.
Narcisse plus hardi s'empresse pour lui plaire.
Il vole vers Junie, et sans s'épouvanter
1750 D'une profane[1] main commence à l'arrêter.
De mille coups mortels son audace est punie.
Son infidèle sang rejaillit sur Junie.
César de tant d'objets en même temps frappé
Le laisse entre les mains qui l'ont enveloppé.
1755 Il rentre. Chacun fuit son silence farouche.
Le seul nom de Junie échappe de sa bouche.
Il marche sans dessein, ses yeux mal assurés
N'osent lever au ciel leurs regards égarés.
Et l'on craint, si la nuit jointe à la solitude
1760 Vient de son désespoir aigrir l'inquiétude,
Si vous l'abandonnez plus longtemps sans secours,
Que sa douleur bientôt n'attente sur ses jours.
Le temps presse. Courez. Il ne faut qu'un caprice.
Il se perdrait, Madame.

AGRIPPINE

Il se ferait justice.
1765 Mais, Burrhus, allons voir jusqu'où vont ses transports.
Voyons quel changement produiront ses remords,
S'il voudra désormais suivre d'autres maximes.

BURRHUS

Plût aux dieux que ce fût le dernier de ses crimes !

---

1. **Profane** : impure, dépourvue de caractère sacré.

Arrêt sur lecture 5

Pour comprendre l'essentiel

Un dénouement qui respecte les règles de la tragédie

❶ Au début de l'acte V, la situation semble apaisée. Observez l'évolution des personnages entre le début et la fin de l'acte et dites en quoi le dénouement de la pièce est tragique.

❷ La règle de bienséance interdit de montrer la mort sur scène. Relevez les procédés dans la scène 5 qui permettent de respecter cette règle tout en satisfaisant la curiosité du spectateur.

❸ Dans la scène 8, Albine fait le récit d'événements qui se déroulent à l'extérieur du palais. Rappelez le principe de la règle des trois unités qui prévaut ici et montrez comment Racine s'y conforme.

Un dénouement brutal

❹ Dans la première scène de l'acte, plusieurs indices montrent que l'issue de l'intrigue est encore incertaine. Relevez-les.

❺ L'annonce de la mort de Britannicus est soudaine. Expliquez pourquoi la scène 4 est courte et brutale, et dites quel est l'effet produit sur le spectateur.

❻ Selon le philosophe de l'Antiquité Aristote, la tragédie doit susciter terreur et pitié chez le spectateur. Dites en quoi ce dernier acte provoque de telles réactions en vous appuyant sur le champ lexical de l'horreur et sur l'usage de la ponctuation dans la dernière scène.

Un dénouement qui met en perspective l'histoire romaine

❼ Dans *Britannicus*, Racine met en scène la période qui a précédé l'assassinat d'Agrippine par Néron en mars 59. Recherchez, dans la tirade d'Agrippine à la scène 6, les indices qui annoncent cet événement.

❽ Néron est le personnage central du dernier acte et peut-être même de la pièce. Décrivez le comportement de l'empereur dans la scène 6 et cherchez dans les répliques de Burrhus, à la scène 5 (v. 1619-1646) et à la scène 7 (v. 1702-1716), ce qui suggère que Néron est en train de devenir un monstre sans scrupule.

❾ Racine inscrit sa pièce dans l'histoire de l'empire romain, marquée par les crimes de Néron. Relisez le dernier vers et montrez que cette phrase est empreinte d'ironie tragique.

Rappelez-vous !

• **Le dénouement de la pièce est violent et sanglant** : Britannicus est mort, Junie s'est réfugiée dans le temple des vestales, Narcisse est tué par le peuple, et Néron sombre dans la « fureur » (v. 1685), c'est-à-dire dans la folie. Quant à Agrippine et Burrhus, ils comprennent qu'ils seront les prochaines victimes de Néron. Ainsi se clôt la tragédie de *Britannicus*, qui s'inspire de la vie de Néron.

• La violence de ce dénouement n'empêche cependant pas Racine de respecter les **principes de vraisemblance et de bienséance** : le spectateur est certes frappé par les récits de Burrhus et d'Albine mais la mort de Britannicus et celle de Narcisse ne sont pas représentées sur scène.

Vers l'oral du Bac

Analyse de la scène 6 de l'acte V, v. 1672-1694, p. 128-129

☛ Montrer en quoi la tirade d'Agrippine s'apparente à une prophétie

Conseils pour la lecture à voix haute

– Veillez ici encore à prononcer la diérèse («glorieux», v. 1673), les e muets qui précèdent des consonnes (par exemple, «laisse», v. 1680; «Rome», v. 1681; «j'espère», v. 1687; «répandre», v. 1690) et à faire la liaison («tyrans une», v. 1692) afin de respecter la métrique des alexandrins.
– Pensez à rendre votre lecture expressive pour traduire la colère d'Agrippine dans sa réplique.

Analyse du texte

■ *Introduction*

Au début de l'acte V, Agrippine exerce de nouveau son pouvoir sur Néron. Elle découvre à la scène 4, puis à la scène 5, que l'empereur, contrairement à ce qu'il avait promis, ne s'est pas réconcilié avec son frère, mais qu'il l'a tué. Dans l'extrait de la scène 6, Agrippine, qui a compris quelle était la vraie nature de son fils, expose à Néron son avenir. Or, il se trouve que ce qu'elle dit correspond à la vérité de l'histoire romaine. Nous montrerons ainsi dans quelle mesure la tirade d'Agrippine peut se lire comme une prophétie en étudiant dans un premier temps la composition du passage puis en analysant le caractère monstrueux de la mère de Néron. Nous verrons enfin comment la vérité historique se mêle ici à la fiction tragique.

Analyse guidée

I. Le présage d'Agrippine

a. Agrippine prédit l'avenir de son fils. À l'aide des pronoms personnels montrez qu'elle s'adresse directement à Néron.

b. Les propos d'Agrippine semblent prémonitoires. Observez les différents temps employés et dites comment elle s'appuie sur les faits qui viennent de se dérouler pour prédire l'avenir.

c. Le destin qu'elle annonce est sombre. Relevez le champ lexical de l'horreur et du crime, puis montrez qu'il est destiné à susciter la terreur du spectateur.

II. D'un monstre à l'autre

a. Les premiers mots d'Agrippine sont ironiques. Mettez-le en évidence et expliquez en quoi cette ironie se charge d'une certaine violence.

b. Agrippine n'est pas un personnage vertueux. Étudiez la ressemblance entre le fils et la mère et montrez qu'ils se vouent une haine mutuelle.

c. Dans les vers 1687-1692, Agrippine formule un vœu. Expliquez-le.

III. Entre fiction et vérité

a. Quelques années après avoir empoisonné Britannicus, Néron fait tuer sa mère. Ce fait historique est connu du public. Montrez comment ce crime est présenté comme inévitable en vous appuyant notamment sur les temps et modes verbaux employés, et sur le choix des verbes.

b. Quelques années plus tard, Néron finit par se suicider. Expliquez comment cette fin tragique est présentée par Agrippine comme la conséquence logique de la haine qu'il éprouve vis-à-vis d'elle.

c. Le dernier vers de l'extrait est composé de la dernière phrase d'Agrippine et de la réplique de Néron. Dites en quoi cette réplique signe la rupture entre l'empereur et sa mère.

Conclusion

Dans ce dernier acte, le dramaturge fait coïncider la fiction avec l'histoire en donnant la parole à Agrippine, mère du monstre Néron, et monstrueuse elle-même. Les propos d'Agrippine s'apparentent alors à une prophétie puisqu'elle y prédit les crimes à venir de Néron. Le public, qui connaît l'histoire romaine, sait que Néron, avec le meurtre de Britannicus, vient de basculer dans la tyrannie et deviendra un empereur sanguinaire. Pourtant, le portrait de Néron que fait ici Racine est plus ambigu. Néron, le criminel, finit presque par passer pour la victime d'une mère plus criminelle encore.

Les trois questions de l'examinateur

Question 1. Quelles sont les sources historiques sur lesquelles Racine s'est appuyé pour écrire *Britannicus* ? Est-il fidèle à l'histoire romaine ?

Question 2. Définissez le registre tragique.

Question 3. **Lecture d'images** Observez comment le personnage de Néron est représenté dans les documents reproduits en fin d'ouvrage, au verso de la couverture. Sur quel(s) aspect(s) du personnage peint par Racine ces images insistent-elles ?

Le tour de l'œuvre en 9 fiches

Sommaire

Fiche 1. Racine en 19 dates 140

Fiche 2. L'œuvre dans son contexte 141

Fiche 3. La structure de l'œuvre 142

Fiche 4. Les grands thèmes de l'œuvre 146

Fiche 5. La tragédie 148

Fiche 6. Représenter *Britannicus* 150

Fiche 7. Le classicisme 152

Fiche 8. L'histoire romaine dans *Britannicus* 154

Fiche 9. Citations 156

Fiche 1

Racine en 19 dates

1639	Naissance de Jean Racine à la Ferté-Milon (Picardie).
1649	Racine reçoit une éducation janséniste à l'abbaye de Port-Royal.
1656	Racine se plonge dans les œuvres de l'Antiquité. Il s'intéresse notamment à Tacite et Plutarque.
1663	Louis XIV commence à verser une pension à Racine pour soutenir sa création. Il rencontre Boileau, ami de Molière.
1664	Succès mitigé de *La Thébaïde*, malgré le soutien de Molière.
1665	Succès d'*Alexandre le Grand*.
1666	Rupture avec Port-Royal.
1667	Triomphe d'*Andromaque*.
1668	Première comédie de Racine : *Les Plaideurs*.
1669	Première représentation de ***Britannicus*** : la pièce ne remporte pas le succès espéré à cause d'un complot organisé par les partisans de Corneille.
1670	Succès de *Bérénice* quelques jours avant la représentation de *Tite et Bérénice* de Corneille.
1672	Succès de *Bajazet*, tragédie d'inspiration orientale. Élection de Racine à l'Académie française, consécration littéraire et politique.
1673	Première représentation de *Mithridate*.
1674	Triomphe d'*Iphigénie*.
1677	Première représentation de *Phèdre* et début d'un conflit qui va opposer les partisans et les détracteurs de Racine. Il cesse alors d'écrire des pièces de théâtre pendant douze ans et devient historiographe du roi Louis XIV.
1687	Réconciliation avec Port-Royal.
1689	Première représentation d'*Esther*.
1691	Première représentation d'*Athalie* à Saint-Cyr, après une interdiction l'année précédente.
1699	Racine meurt. Il est enterré au cimetière de Port-Royal.

Fiche 2

L'œuvre dans son contexte

Le règne d'un monarque absolu

Louis XIV (1638-1715) accède au trône en 1661. Dès le début de son règne, il affirme son statut de monarque absolu et de droit divin: il concentre entre ses mains tous les pouvoirs qu'il prétend tenir de Dieu et cherche à empêcher toute forme de contestation.

Les années 1660 en France sont marquées par la prospérité économique. Le ministre Colbert, très influent auprès de Louis XIV, entreprend de réorganiser les finances de l'État. Il encourage l'industrie, le commerce et l'agriculture. Pourtant, la politique de grandeur voulue par le roi se traduit aussi par des guerres, dont le coût humain et économique est de plus en plus important.

Marqué dans son enfance par la Fronde, mouvement de révolte qui naît en 1648 parmi les parlementaires et les princes du royaume, **Louis XIV décide de faire construire un château à Versailles** car le palais du Louvre, en plein Paris, est facile à investir par une foule révoltée. La cour s'installe donc à Versailles en 1682.

La cour et les arts

À la cour, Louis XIV s'entoure des meilleurs artistes, chargés de contribuer à sa gloire. Il encourage la création en versant des pensions. Il assiste également à des représentations théâtrales et apparaît parfois lui-même sur scène. Des artistes comme La Fontaine (1621-1695), Molière (1622-1673) ou Racine (1639-1699) pour les lettres, ou encore Lully (1632-1687) pour la musique sont ainsi reçus à la cour et soutenus par Louis XIV.

Le roi donne des fêtes somptueuses au château de Versailles. L'éclat de ce faste influence les autres cours européennes, contribuant ainsi au rayonnement culturel et artistique de la France.

Racine et le jansénisme

Au XVIIe siècle, une scission s'opère au sein du catholicisme: d'un côté, les membres de la Compagnie de Jésus, les jésuites, très influents en politique, estiment que l'homme peut mériter la grâce divine par de bonnes actions au cours de sa vie terrestre. **À l'inverse, les jansénistes considèrent que l'homme est prédestiné lorsqu'il vient au monde**: s'il n'est pas élu par Dieu, il ne pourra jamais obtenir la grâce divine.

Cette doctrine religieuse a fortement influencé les penseurs du XVIIe siècle, comme Pascal (1623-1662), La Rochefoucault (1613-1680), ou encore Racine, élevé au couvent de Port-Royal, haut lieu du jansénisme. Il est en effet durablement marqué par cet enseignement qui a influencé sa conception de la fatalité tragique.

Fiche 3

La structure de l'œuvre

• En 49 après J.-C., Agrippine épouse l'empereur Claude, puis obtient de lui qu'il adopte Néron, enfant qu'elle a eu avec son précédent époux, et qu'il le désigne comme son successeur aux dépens de son propre fils, Britannicus. Agrippine fait empoisonner Claude en 54 pour que son fils Néron accède au trône.

• L'intrigue de *Britannicus* prend place en 54 après J.-C. Néron cherche alors à se défaire de l'influence de sa mère et s'oppose à ses projets en enlevant Junie, promise à Britannicus.

• Très amoureux de Junie, Néron voit Britannicus comme un obstacle. Il décide donc le tuer.

Acte I: L'exposition

Scène 1: Agrippine, Albine	**Agrippine, mère de l'empereur Néron, se confie à sa suivante Albine**: Néron, en faisant enlever Junie, promise à Britannicus, s'oppose à ses projets. Selon elle, c'est le signe d'une prochaine disgrâce.
Scène 2: Agrippine, Burrhus, Albine	**Agrippine accuse Burrhus et Sénèque, les gouverneurs de Néron, d'être responsables de sa mise à l'écart.** Burrhus se justifie en vantant le règne vertueux de Néron.
Scène 3: Agrippine, Britannicus, Narcisse, Albine	**Britannicus déplore l'enlèvement de Junie.** Agrippine lui promet son appui.
Scène 4: Britannicus, Narcisse	**Britannicus confie à Narcisse qu'il est décidé à reconquérir le pouvoir**, même s'il doute de la franchise d'Agrippine.

Acte II: De la rivalité politique à la rivalité amoureuse

Scène 1: Néron, Burrhus, Narcisse, Gardes	**Néron ordonne l'exil de Pallas**, l'amant de sa mère, qu'il soupçonne d'être de mauvais conseil.
Scène 2: Néron, Narcisse	**Néron confie à Narcisse, dont on découvre le double jeu, qu'il est épris de Junie** et se renseigne sur l'amour que Britannicus et Junie se portent.

Scène 3 : Néron, Junie	**Néron avoue son amour à Junie et la demande en mariage.** Cette dernière multiplie les arguments pour refuser et finit par avouer son amour pour Britannicus. **Néron contraint alors Junie à rompre avec Britannicus, sans quoi il le fera tuer.**
Scène 4 : Néron, Junie, Narcisse	Narcisse annonce l'arrivée de Britannicus. **Néron se cache pour observer l'entrevue de Junie et Britannicus.**
Scène 5 : Junie, Narcisse	Junie demande à Narcisse de prévenir Britannicus, mais trop tard, Britannicus est déjà là.
Scène 6 : Junie, Britannicus, Narcisse	**Premier entretien entre Junie et Britannicus.** Contrainte à la froideur, **Junie ne peut lui faire comprendre qu'ils sont épiés par Néron et se voit obligée de le chasser d'un ton glacial.**
Scène 7 : Néron, Junie, Narcisse	Junie s'enfuit en larmes et refuse d'entendre Néron.
Scène 8 : Néron, Narcisse	Néron, furieux devant l'amour que Junie porte à Britannicus, invite Narcisse à tourmenter Britannicus.

Acte III : Les querelles de pouvoir

Scène 1 : Néron, Burrhus	**Burrhus cherche, en vain, à détourner Néron de son amour pour Junie.**
Scène 2 : Burrhus	**Burrhus redoute le caractère cruel de Néron et ne sait comment apaiser sa fureur.** Apercevant Agrippine, il veut se confier à elle.
Scène 3 : Agrippine, Burrhus, Albine	**Furieuse, Agrippine accuse Burrhus d'être à l'origine de l'exil de Pallas et de la volonté de Néron de divorcer d'Octavie afin d'épouser Junie.** Elle le menace de calomnies et de rendre le pouvoir à Britannicus. Burrhus prend la défense de Néron.
Scène 4 : Agrippine, Albine	**Agrippine laisse éclater sa colère** : elle avoue à Albine qu'elle est prête à tout pour se venger de Néron.

Scène 5 : Britannicus, Agrippine, Narcisse, Albine	Agrippine confirme son soutien à Britannicus.
Scène 6 : Britannicus, Narcisse	Narcisse tente de dissuader Britannicus de revoir Junie. Mais la jeune fille apparaît au loin et Narcisse court prévenir Néron.
Scène 7 : Britannicus, Junie	**Deuxième entretien entre Britannicus et Junie.** Celle-ci rassure Britannicus sur ses sentiments et le prévient du danger qui le menace.
Scène 8 : Néron, Britannicus, Junie	**Néron surprend Britannicus aux genoux de Junie. Scène d'affrontement entre les deux frères.** Néron fait arrêter son frère. Junie fait part de son projet de se retirer du monde.
Scène 9 : Néron, Burrhus	Néron accuse Agrippine d'avoir organisé la rencontre entre Britannicus et Junie. **Il ordonne à Burrhus de faire arrêter sa mère.**

Acte IV : Un coup de théâtre ?

Scène 1 : Agrippine, Burrhus	Burrhus annonce à Agrippine que Néron lui accorde un entretien.
Scène 2 : Agrippine, Néron	**Premier entretien entre la mère et le fils.** Dans sa tirade, Agrippine rappelle à Néron les crimes qu'elle a commis pour lui permettre d'accéder au trône. Néron lui reproche d'avoir agi pour satisfaire sa propre passion du pouvoir et l'accuse d'avoir voulu favoriser Britannicus. Agrippine est indignée. **Néron fait alors semblant d'accepter tout ce qu'elle veut, notamment de se réconcilier avec son frère.**
Scène 3 : Néron, Burrhus	**Néron révèle à Burrhus qu'il a menti à sa mère** : il tuera Britannicus dans les prochaines heures. **Burrhus essaie de le raisonner** et se dit prêt à mourir plutôt que de voir Néron devenir un tyran. Devant les larmes de son gouverneur, l'empereur semble céder.

Scène 4 : Néron, Narcisse	Néron informe Narcisse qu'il souhaite se réconcilier avec Britannicus. **Le conseiller le persuade de ne pas changer d'avis et d'empoisonner son frère.**

Acte V : Le dénouement

Scène 1 : Britannicus, Junie	**Troisième et dernier entretien entre Britannicus et Junie.** Britannicus se réjouit de la décision de Néron de se réconcilier avec lui. Junie, inquiète et méfiante, pleure.
Scène 2 : Agrippine, Britannicus, Junie	Agrippine ordonne à Britannicus de rejoindre rapidement l'empereur pour sceller la réconciliation.
Scène 3 : Agrippine, Junie	Agrippine calme les inquiétudes de Junie. **Elle réaffirme sa force** en suggérant que la situation s'est dénouée grâce à son intervention et à l'emprise qu'elle a de nouveau sur Néron.
Scène 4 : Agrippine, Junie, Burrhus	**Burrhus annonce la mort de Britannicus.** Junie s'enfuit.
Scène 5 : Agrippine, Burrhus	Burrhus relate à Agrippine les circonstances de la mort de Britannicus.
Scène 6 : Agrippine, Néron, Burrhus, Narcisse	Néron survient avec Narcisse. Agrippine l'accuse d'avoir tué Britannicus, puis énumère une série de **funestes présages.**
Scène 7 : Agrippine, Burrhus	Agrippine reconnaît s'être trompée en soupçonnant Burrhus d'avoir une mauvaise influence sur Néron. **Le gouverneur confie sa crainte de voir dans Néron « un tyran [...] endurci »** (v. 1712).
Scène 8 : Agrippine, Burrhus, Albine	Albine annonce que Néron est devenu fou car Junie s'est retirée dans le temple des vestales, à l'écart du monde. **Elle fait ensuite le récit de la fuite de Junie et de la mort de Narcisse**, lapidé par la foule.

Fiche 4

Les grands thèmes de l'œuvre

Le pouvoir

« Ma tragédie n'est pas moins la disgrâce d'Agrippine que la mort de Britannicus », écrit Racine dans sa préface de 1675-1697 (p. 19, l. 65-66). Cette affirmation est significative : l'auteur, dans *Britannicus*, cherche à montrer toutes les conséquences des dérives du pouvoir.

Tout au long de la pièce, Agrippine ne cesse de rappeler que c'est elle qui a permis à Néron d'accéder au trône et qu'il lui doit tout. Elle insiste sur sa fonction politique, dans l'ombre, « invisible, et présente » (I, 1, v. 95), du temps où Néron était encore soumis à sa mère. Si Agrippine ne détient pas le pouvoir, elle y a toujours été associée (« Moi fille, femme, sœur et mère de vos maîtres », I, 2, v. 156). La relation qu'elle entretient avec le pouvoir est proche de la passion amoureuse. Ainsi, elle confie à Albine qu'elle se sent « délaissée » (III, 5, v. 891). Le dernier acte de la tragédie, juxtaposant la scène où Agrippine réaffirme sa toute-puissance et celle où Burrhus annonce la mort de Britannicus, souligne, avec une certaine brutalité, la disgrâce de cette femme : le discours adressé à Néron est alors une ultime démonstration du pouvoir qu'elle entend exercer sur son fils.

Quant à l'empereur Néron, il dispose de tous les pouvoirs : faire enlever ou arrêter qui bon lui semble (Junie avant le début de la pièce, puis Britannicus et Agrippine à l'acte III) ; bannir ses opposants, comme Pallas ; divorcer de sa femme Octavie pour épouser Junie. Il est aussi celui qui est considéré comme le « Père de la patrie » par le sénat et le peuple romain. Cependant, Néron se laisse influencer à plusieurs reprises, notamment dans l'acte IV, lorsqu'il semble céder à la supplication de Burrhus (IV, 3) puis aux arguments de Narcisse. **Cependant, il peine à affirmer son autorité.** Ainsi, il avoue à Narcisse qu'il ne parvient pas à « démentir le pouvoir » de sa mère (II, 2, v. 501), ce qui apparaît nettement dans le long entretien qui a lieu à l'acte IV, où Néron fait semblant d'accepter tout ce que désire sa mère. Par ailleurs, à la scène 8 de l'acte III, il se montre incapable de trouver de véritables arguments face à Britannicus. Malgré la force que lui procure son rang impérial, Néron apparaît comme un personnage faible.

L'amour

Si Néron fait enlever Junie et révèle sa cruauté en la forçant à rompre avec Britannicus, s'il voit son désir rehaussé par les larmes versées par la jeune fille, il apparaît néanmoins comme un personnage démuni face à tant d'amour. « Immobile, saisi d'un long étonnement » (II, 2, v. 397), il se montre incapable de dominer son émotion. Lorsqu'il reparaît sur scène, après s'être caché au cours du premier entretien entre Junie et Britannicus, il ne peut prononcer un mot sans être interrompu par Junie qui refuse de l'entendre. Sa réaction furieuse ne se manifeste qu'une fois la jeune fille partie. Plus encore, lors de l'affrontement avec son frère, Néron avoue, à propos de Junie, qu'il «ne sai[t] le secret de lui plaire» (III, 8, v. 1059). L'amour semble donc fragiliser l'empereur.

À l'inverse, c'est l'amour qui donne à Britannicus les moyens de s'opposer à son frère. Jusqu'alors, l'amour de Junie le consolait d'avoir été écarté du trône, mais l'enlèvement de cette dernière justifie ses reproches face à Néron: s'il ne peut plus avoir Junie, il veut retrouver sa place d'empereur, comme il le laisse d'ailleurs entendre dans son bref entretien avec Agrippine (III, 5). **Junie, au contraire, refuse d'être mêlée au pouvoir et ne vit que de l'amour de Britannicus.** Entièrement dévouée à celui qu'elle aime, elle préfère se retirer du monde, en devenant une vestale, que d'accepter d'épouser Néron et de jouer ainsi un rôle politique. La jeune fille devient alors une figure de la pureté que rien ne saurait corrompre. Son innocence renforce encore son statut de victime tragique.

Vices et vertus

Les personnages de *Britannicus* semblent fonctionner par paires: Britannicus et Junie forment un couple de victimes, Britannicus et Néron représentent deux frères ennemis, Néron et Agrippine sont tous deux présentés comme des monstres, Burrhus et Narcisse sont deux conseillers de la cour. Pourtant, si par leur fonction, ces personnages se ressemblent, leurs actes les distinguent. Tandis que Burrhus est la voix de la sagesse et de la vertu, Narcisse, un ancien affranchi, symbolise le vice; il est ce que Racine nomme dans la préface de 1675-1697 une «peste de cour» (p. 19, l. 52).

Dans la pièce, cette opposition entre vice et vertu est permanente: Agrippine et Néron sont du côté du vice, Britannicus et Junie du côté de la vertu. Pourtant, Racine parvient à rendre la complexité des passions humaines: dans l'acte I, Burrhus semble prendre le parti de Néron contre Agrippine; Narcisse paraît, au contraire, être favorable à Britannicus. La passion qui écrase et fragilise Néron le rend pathétique; les inquiétudes d'Agrippine, qui se voit rejetée par son fils, affaiblissent son pouvoir. Et Britannicus, comme Junie, aveuglés par l'amour, se montrent imprudents.

Ainsi, tous les personnages de *Britannicus* sont coupables et tentent désespérément d'obtenir le salut. Cette vision de l'homme est peut-être à considérer comme un écho de la doctrine janséniste enseignée à Racine dans son enfance, au couvent de Port-Royal.

Fiche 5

La tragédie

Les origines de la tragédie

La tragédie naît dans l'Antiquité grecque au Ve siècle av. J.-C. À l'origine, il s'agit d'une cérémonie à la fois religieuse et civique dédiée au dieu du vin et du théâtre, Dionysos. Dans la tragédie antique, des acteurs masqués incarnent les héros tragiques et récitent des vers entrecoupés d'intermèdes musicaux chantés par le chœur, dirigé par le coryphée.

Aristote, dans son ouvrage théorique la *Poétique* (IVe siècle av. J.-C.), définit la fonction de la tragédie: elle doit provoquer terreur et pitié chez le spectateur. Les personnages sont donc présentés comme les victimes de forces supérieures contre lesquelles ils luttent en vain. **Cette idée de fatalité est indissociable du registre tragique**. Ainsi, le spectateur doit se « purifier de ses mauvaises passions » en éprouvant et en rejetant les passions destructrices qu'il voit mises en scène. C'est ce qu'Aristote appelle la *catharsis*.

Les grands représentants de la tragédie grecque au Ve siècle av. J.-C. sont Eschyle, Sophocle et Euripide. Tous trois mettent en scène des personnages en proie au destin et expriment dans leurs pièces la tension entre le passé et le présent de la cité athénienne dans laquelle naissent les conceptions nouvelles de justice et de droit. Dans la Rome antique, au Ier siècle ap. J.-C., Sénèque – dont il est question dans la pièce de Racine – s'illustre également dans ce genre.

La tragédie classique

Il faut attendre le XVIe siècle et la redécouverte de l'Antiquité pour qu'à nouveau des tragédies soient jouées sur les scènes européennes. La tragédie devient alors l'objet de réflexions théoriques. C'est l'époque où les lettrés relisent Aristote et veulent adapter à l'époque moderne les idées développées dans la *Poétique*.

Au XVIIe siècle, un ensemble de règles est ainsi établi. Les personnages doivent être de condition noble et parler un langage très soutenu, car contrairement à la comédie qui présente des personnages de basse condition, ridicules et souvent vulgaires, la tragédie se doit d'atteindre au sublime. Elle est alors considérée comme une des formes les plus élevées dans la hiérarchie des genres littéraires.

L'imitation du réel, ou *mimesis*, doit donner au spectateur l'illusion de vivre la scène comme une réalité. Un des principes de la tragédie classique est donc la vraisemblance. Selon les théoriciens du XVIIe siècle, une tragédie ne devrait représenter que ce que le spectateur peut raisonnablement accepter comme vraisemblable, c'est-à-dire pouvant se produire dans la réalité.

De ce principe découle la règle des trois unités: la pièce doit se dérouler en un jour, en un lieu, autour d'une seule action. Si ces critères sont respectés, la tragédie paraît plus crédible et permet au spectateur d'être davantage touché par ce qu'il voit.

C'est d'ailleurs au nom de la vraisemblance que Racine, dans la première préface de *Britannicus*, défend sa pièce et attaque violemment l'esthétique de son rival Corneille (1606-1684), qu'il considère comme peu « naturel[le] » (p. 14, l. 89).

À cela s'ajoute le principe de la bienséance, c'est-à-dire le respect des convenances : aucun acte choquant ou sanglant ne doit être représenté sur scène pour ne pas choquer les spectateurs. Ainsi, dans *Britannicus*, la mort du jeune prince, empoisonné par Néron, et celle de Narcisse, lapidé par la foule alors qu'il poursuit Junie jusqu'au temple des vestales, sont rapportées par d'autres personnages. Le spectateur ne voit aucun des épisodes sur scène mais peut les imaginer.

Les sources d'inspiration de Racine

Si Racine s'est beaucoup illustré dans des pièces inspirées par la mythologie grecque (*Andromaque*, *Phèdre*, *Iphigénie*), il a écrit aussi des œuvres orientales pour répondre au goût de l'époque (*Bajazet*), et des tragédies bibliques (*Esther*, *Athalie*).

Racine s'inspire également de l'histoire romaine et, lorsqu'il écrit *Britannicus*, il sait qu'il va ainsi devoir rivaliser avec son aîné, Corneille, célèbre pour ses tragédies romaines comme *Horace* (1640) ou *Cinna* (1642). Pourtant, en concentrant son texte sur l'exploration des sentiments et des passions des personnages, **Racine parvient à affirmer son propre style**. Cette rivalité lui fait écrire en 1670, parallèlement à Corneille, une tragédie sur Bérénice, princesse de Palestine que la loi empêche d'épouser Titus, empereur de Rome. Racine sort vainqueur de cette opposition : le succès de sa *Bérénice* éclipse la pièce de Corneille, *Tite et Bérénice*.

Fiche 6

Représenter *Britannicus*

De la déclamation à la mise en scène

Le XVIIe siècle est marqué par la professionnalisation du théâtre: les comédiens se regroupent pour former des troupes et cherchent à gagner leur vie grâce à leur talent. Les acteurs possèdent leurs propres costumes, à la mode du XVIIe siècle, qui ont souvent peu de rapport avec la pièce jouée.

Lorsque Racine compose ses tragédies, il conçoit d'écrire des poèmes tragiques, devant être déclamés par les acteurs de l'Hôtel de Bourgogne, premier théâtre officiellement instauré en 1548 et qui abrite la troupe royale des Grands Comédiens. Ses pièces ne comportent donc que très peu d'indications de mise en scène et il n'y a d'ailleurs quasiment pas de didascalies dans *Britannicus*.

La première de *Britannicus*

La première représentation de *Britannicus* est donnée le 13 décembre 1669 à l'Hôtel de Bourgogne. Fait très rare pour une représentation du XVIIe siècle, nous disposons du témoignage d'un spectateur de cette première, Edme Boursault. Ce dernier, dans son texte *Artémise et Poliante* (1669), décrit avec ironie le déroulement de cette soirée et rappelle la vive concurrence entre Racine et Corneille. Il raconte ainsi comment Corneille, le grand rival de Racine, assista au spectacle «tout seul dans une loge» et nous apprend que la pièce n'eut finalement pas le succès espéré. Pourtant, la tragédie était jouée par de grands comédiens: Floridor, considéré comme le meilleur tragédien de l'époque, incarnait Néron, le rôle d'Agrippine était tenu par la Des Œillets, autre actrice célèbre. Selon Boursault, aucun reproche ne fut fait aux acteurs de *Britannicus*. C'est bien sur son texte, et en particulier sur le personnage de Néron, que Racine fut attaqué.

Pourtant, malgré cet échec initial, *Britannicus* finit par être l'une des tragédies de Racine les plus jouées aujourd'hui.

Néron, un rôle de légende

L'ambiguïté du personnage de Néron suscite de nombreuses interprétations et offre aux comédiens la possibilité de s'illustrer.

Au XVIIIe siècle, le comédien Lekain (1729-1778) incarne ce rôle de façon si saisissante, qu'il le joue pendant plus de vingt ans. À l'origine d'une réforme des costumes à la Comédie-Française, cet acteur décide de porter un costume romain pour s'approcher davantage de la vraisemblance, choisit de vieillir Néron et le présente comme un criminel et un hypocrite, n'hésitant pas à hurler de façon effrayante. **Talma (1763-1826) succède à Lekain et porte également une toge de couleur rouge pour jouer le rôle de l'empereur**

(➡ voir image reproduite en fin d'ouvrage, au verso de la couverture).

Par la suite, les interprétations de Néron varient d'une mise en scène à l'autre: au XIXe siècle, l'empereur est souvent présenté comme violent et fou; au début du XXe siècle, en 1911, le metteur en scène **Antoine** insiste sur la jeunesse des personnages et souligne leur trouble en présentant un Néron travesti. En 1961, **Robert Hirsch**, intéressé par l'ambiguïté du personnage, choisit de montrer un Néron en proie aux tourments. En 1981, le metteur en scène **Antoine Vitez** insiste lui aussi sur la jeunesse du personnage, dont il montre la séduction trouble.

Britannicus aujourd'hui

Aujourd'hui, *Britannicus* est une pièce qui fascine toujours autant les spectateurs et les mises en scène de la pièce sont nombreuses. La monstruosité des personnages de Néron et d'Agrippine, la relation trouble qui les unit, l'influence réciproque du désir de pouvoir et du désir amoureux, sont en effet des thèmes universels.

En 2007, Jean-Louis Martin-Barbaz propose une mise en scène de *Britannicus* résolument moderne, qu'il reprend en 2009 au théâtre 14 à Paris. Les comédiens, vêtus de costumes blancs contemporains, évoluent dans un décor épuré et dans un espace délimité par des grillages qui suggèrent l'univers carcéral. Leurs répliques sont entrecoupées d'intermèdes de musique rock et un jeu de miroirs symbolise l'hypocrisie et la comédie du pouvoir (➡ voir image reproduite en fin d'ouvrage, au verso de la couverture).

Jean-Louis Martinelli, qui met en scène *Britannicus* en 2012 au théâtre des Amandiers, à Nanterre, explique que ce qui l'a intéressé dans l'œuvre, c'est de pouvoir « scruter ce qui peut fonder l'âme humaine, les désirs de pouvoir de la Rome antique à aujourd'hui ». Pour rendre compte de la diversité des histoires individuelles prenant place dans la pièce, il utilise un plateau circulaire où se meuvent, en une ronde tragique, des personnages dépassés par leurs pulsions. Sa mise en scène minimaliste accentue ainsi l'ambiguïté du personnage de Néron, simplement drapé d'une toge rouge, et montre l'empereur en proie aux tourments de la passion (➡ voir images reproduites en couverture et en début d'ouvrage, au verso de la couverture).

Fiche 7

Le classicisme

Définition et caractéristiques du classicisme

Le mot « classicisme » désigne l'esthétique dominante sous le règne de Louis XIV, et plus particulièrement dans les années 1660-1685.

Les artistes de cette période souhaitent analyser et peindre la nature humaine, s'inspirant ainsi de l'Antiquité et des auteurs grecs et latins qu'ils prennent pour modèles.

Sur le plan esthétique, le classicisme correspond à une recherche d'harmonie, de beauté régulière, d'ordre et d'équilibre.

Sur le plan moral, les valeurs classiques s'incarnent dans la figure idéale de « l'honnête homme », qui sait allier élégance, savoir et ouverture d'esprit sans ostentation ni pédanterie. Cet idéal moral gouverne la société du XVIIe siècle.

L'ordre et la raison

En 1637, le philosophe Descartes (1596-1650) publie son *Discours de la méthode* et souligne le rôle essentiel de la raison. Il définit des principes pour guider son esprit et accéder à la connaissance. Cette importance accordée à la raison traduit une volonté d'ordonner le monde qui l'entoure que l'on retrouve dans le mouvement classique.

Cette recherche de l'ordre se traduit par la volonté de fixer la langue et ses usages. C'est ainsi que paraît le *Dictionnaire de l'Académie*, en 1694, accompagné d'un précis grammatical. Des théoriciens de la littérature cherchent, quant à eux, à créer des catégories littéraires. Dans d'autres domaines, comme l'architecture et la conception des jardins, la ligne droite et régulière prédomine.

La clarté et la perfection

La clarté est une autre valeur essentielle du classicisme : « Ce que l'on conçoit bien s'énonce clairement », écrit ainsi **Boileau** (1636-1711) dans son *Art poétique* (1674). Pour que les œuvres soient claires et compréhensibles, l'auteur prône le travail et l'effort réguliers : « Vingt fois sur le métier remettez votre ouvrage : / Polissez-le sans cesse et le repolissez » (*Art poétique*). D'ailleurs, lorsque Racine montre sa pièce *Britannicus* à son ami Boileau, il est amené, sur ses conseils, à supprimer des scènes, à en reprendre d'autres.

Le classicisme est donc marqué par un souci de perfection. À cet égard, l'alexandrin classique apparaît comme un modèle de rythme et d'architecture musicale, avec ses douze syllabes et sa césure à l'hémistiche. C'est donc le vers le plus utilisé et qui symbolise le mieux l'esthétique classique.

Le siècle des moralistes

Cette recherche de la perfection s'accompagne d'une double

ambition, celle de plaire et d'instruire. Tandis que la comédie doit «corriger les mœurs par le rire», comme le rappelle Molière, la tragédie doit conduire le spectateur à s'interroger sur son comportement.

À cette époque apparaissent aussi de nombreux apologues, brefs récits comprenant une morale, destinés à réfléchir à la nature humaine et à ses défauts. C'est le but recherché par La Fontaine (1621-1695) avec ses *Fables*, par La Bruyère (1645-1696) avec ses *Caractères*, et par La Rochefoucauld (1613-1680) avec ses *Maximes*. Pascal (1623-1662), quant à lui, observe les faiblesses de l'être humain et déplore les limites de la raison humaine. **Ces moralistes cherchent ainsi à corriger les vices des hommes.**

De nouvelles règles théâtrales

Cette recherche d'ordre et de clarté conduit les théoriciens à publier de nombreux traités sur les règles à respecter au théâtre. Ils s'inspirent pour cela de la *Poétique* d'Aristote (IVe siècle av. J.-C.). La tragédie classique doit donc répondre aux principes de bienséance, de vraisemblance et à la règle des trois unités (voir fiche 5). Les théoriciens du classicisme recommandent également aux tragédiens le choix de sujets historiques, rendant le message moral plus crédible. De nombreuses pièces du XVIIe siècle font ainsi majoritairement référence à l'histoire romaine, comme *Cinna* (1641) de Corneille ou *Britannicus* (1669) de Racine.

Fiche 8

L'histoire romaine dans *Britannicus*

Les sources antiques de Racine

Selon Racine, *Britannicus* est la pièce qu'il a « le plus travaillée » (préface de 1675-1697, p. 17, l. 1-2). En effet, pour décrire la cour de Néron, l'auteur s'est appuyé sur les récits d'historiens latins tels Tacite (Iᵉʳ siècle ap. J.-C.) ou Suétone (Iᵉʳ-IIᵉ siècles ap. J.-C.).

Racine écrit qu'il a « copié [ses] personnages d'après le plus grand peintre de l'Antiquité [...] Tacite » (préface de 1675-1697, p. 17, l. 16-18). Il semble que l'ouvrage de cet historien antique, les *Annales*, ait été la principale source de *Britannicus* (voir p. 162-163).

Afin de peindre Agrippine et Néron, le dramaturge s'inspire également de la *Vie des douze Césars* de Suétone (voir p. 160-162). Enfin, il a probablement étudié *Sur la clémence* de Sénèque (4 av. J.-C.-65 ap. J.-C.), philosophe latin, qui a été le tuteur de Néron.

Mais l'intérêt de *Britannicus* réside surtout dans la vision que Racine propose de l'histoire romaine.

Rappels historiques

La République romaine repose sur l'équilibre de trois organes politiques: les magistrats, le sénat et l'assemblée du peuple. Mais en 44 av. J.-C., des troubles politiques agitent Rome. **Jules César est alors assassiné**; son fils adoptif, Octave, cherche à monter sur son trône, et après de nombreuses luttes de pouvoir, il parvient, en 27 av. J.-C. à obtenir du sénat le titre de « premier des sénateurs ». **Octave change de nom et devient Auguste: c'est le début de l'empire romain**, qui se maintient jusqu'en 192 après J.-C.

Auguste choisit Tibère pour lui succéder; Tibère adopte **Caligula**, qui prend le pouvoir en 37. Mais il devient fou et meurt en 41. Comme Caligula n'a pas de descendant, c'est **Claude**, neveu de Tibère, qui est désigné comme empereur. Ce dernier épouse en quatrièmes noces **Agrippine**, sœur de Caligula et mère de **Néron**, fils de son précédent mariage avec Domitius Ænobarbus. Par la suite, elle fait adopter Néron par Claude et écarte du trône son successeur légitime, Britannicus. Puis, elle fait empoisonner Claude, permettant ainsi à son fils de devenir empereur, en 54. Néron fait tuer sa mère en 59, puis se suicide en 68, après avoir multiplié les crimes. **Sa mort met fin à la dynastie des Césars**.

L'adaptation de Racine

Dans sa pièce, Racine montre une Agrippine prête à tout pour conserver le pouvoir. Les historiens affirment explicitement qu'Agrippine est non seulement une criminelle, mais aussi une femme débauchée. Leurs textes suggèrent qu'une relation incestueuse la liait à son fils Néron, ce qui n'apparaît pas dans la pièce de Racine – ou alors de manière sous-jacente à la scène 4 de l'acte III.

C'est surtout le personnage de Néron qui, dans la pièce de Racine, subit le plus de transformations. Dans les récits d'historiens, on découvre un personnage dépravé dès ses plus jeunes années. Dissipant l'argent public, il vit de débauche et de crimes et n'hésite pas à tuer sa propre mère ou encore à continuer de chanter, imperturbable, pendant qu'un incendie ravage Rome. **Pourtant, Racine préfère s'écarter de cette représentation et tente de démontrer comment Néron a pu basculer dans la folie et le crime.** Il fait ainsi un choix qui lui a été reproché par ses spectateurs, qui connaissent bien l'histoire romaine.

Il transforme également le personnage de Junie, faisant d'elle une jeune femme innocente, et s'en explique avec ironie dans sa préface de 1670: «Si je la représente plus retenue qu'elle n'était, je n'ai pas ouï dire qu'il nous fût défendu de rectifier les mœurs d'un personnage, surtout lorsqu'il n'est pas connu» (p. 13, l. 61-63). Racine supprime cette phrase polémique de la préface de 1675-1697, elle explique pourtant bien son désir de ne pas imiter l'histoire, mais de prendre appui sur celle-ci pour réfléchir à la nature humaine.

Racine prend également d'autres libertés vis-à-vis de la réalité historique: Britannicus, qui avait quatorze ans quand il fut empoisonné, est vieilli de trois ans par Racine pour que soit renforcée la vraisemblance de son caractère, notamment pour faire face à Néron, âgé de vingt ans. Quant à Narcisse, il avait été écarté du trône par Agrippine dès la prise de pouvoir de son fils: Racine le maintient cependant pour en faire dans sa pièce la figure du vice.

Les modifications apportées par Racine ne concernent pas uniquement les personnages. **Ainsi, la rivalité entre Néron et sa mère éclate en réalité après l'empoisonnement de Britannicus**. Plus encore, la tragédie de Racine suggère que Néron a enlevé Junie pour contrer les projets de sa mère. Or, il semble que Néron se soit d'abord épris d'une jeune affranchie nommée Acté et que c'est cet amour qui poussa Agrippine, furieuse et jalouse, à menacer de redonner le pouvoir à Britannicus.

Racine inverse donc l'ordre des événements pour pouvoir mieux mêler la rivalité politique à la rivalité amoureuse et ainsi concentrer toutes les sources du conflit opposant le fils à sa mère.

Fiche 9

Citations

Britannicus

« Ah ! Que de la patrie il soit, s'il veut, le père.
Mais qu'il songe un peu plus qu'Agrippine est sa mère. »

Agrippine, I, 1, v. 47-48.

« Moi fille, femme, sœur, et mère de vos maîtres. »

Agrippine, I, 2, v. 156.

« Vous m'avez de César confié la jeunesse,
Je l'avoue, et je dois m'en souvenir sans cesse.
Mais vous avais-je fait serment de le trahir,
D'en faire un empereur, qui ne sût qu'obéir ? »

Burrhus, I, 2, v. 175-178.

« Narcisse, c'en est fait. Néron est amoureux. »

Néron, II, 2, v. 382.

« Belle, sans ornements, dans le simple appareil
D'une beauté qu'on vient d'arracher au sommeil. »

Néron, II, 2, v. 389-390.

« Madame, en le voyant, songez que je vous vois. »

Néron, II, 4, v. 690.

« Croyez-moi, quelque amour qui semble vous charmer,
On n'aime point, Seigneur, si l'on ne veut aimer. »

Burrhus, III, 1, v. 789-790.

« Mais Rome veut un maître, et non une maîtresse. »

Néron, IV, 2, v. 1239.

« Ta main a commencé par le sang de ton frère.
Je prévois que tes coups viendront jusqu'à ta mère. »

Agrippine, V, 6, v. 1675-1676.

« Plût aux dieux que ce fût le dernier de ses crimes ! »

Burrhus, V, 8, v. 1768.

À propos de *Britannicus*

«Le premier acte promet quelque chose de fort beau, et le second même ne le dément pas; mais au troisième il semble que l'auteur se soit lassé de travailler; et le quatrième, qui contient une partie de l'histoire romaine, et qui par conséquent n'apprend rien qu'on ne puisse voir dans Florus et Coëffeteau, ne laisserait pas de faire oublier qu'on s'est ennuyé au précédent, si dans le cinquième la façon dont Britannicus est empoisonné, et celle dont Junie se rend vestale ne faisaient pitié.»

Edme Boursault, *Artémise et Poliante*, 1669.

«*Britannicus* fut la pièce des connaisseurs, qui conviennent des défauts, et qui apprécient les beautés.»

Voltaire, *Commentaires sur Corneille*, 1764.

«Ainsi on doit croire que s'il n'eût pas été paralysé comme il l'était par les préjugés de son siècle, s'il eût été moins touché par la torpille classique, il n'eût point manqué de jeter Locuste dans son drame entre Narcisse et Néron, et surtout il n'eût pas relégué dans la coulisse cette admirable scène du banquet où l'élève de Sénèque empoisonne Britannicus dans la coupe de la réconciliation.»

Victor Hugo, Préface de *Cromwell*, 1829.

«*Britannicus* est une tragédie bourgeoise, une intrigue de cour, une comédie d'alcôve se terminant en drame à la Zola.»

Émile Faguet, *XVIIe siècle – Études littéraires*, 1885.

«Oui, Junie, dans *Britannicus*, j'appelle ça une trouvaille. Cette Junie que Néron caché emploie pour ses délices à tordre le cœur de son amant. Où c'est dans votre Shakespeare qu'il y a une situation pareille?»

Paul Claudel, *Conversation sur Jean Racine*, 1955.

«Sans doute, c'est la naissance d'un monstre; mais ce monstre va vivre et c'est peut-être pour vivre qu'il se fait monstre.»

Roland Barthes, *Sur Racine*, 1979.

Groupements de textes

Groupement 1

Les crimes de Néron

Sénèque, *Octavie*

La tragédie historique *Octavie* est attribuée à Sénèque (4 av. J.-C.-65 ap. J.-C.), dramaturge latin par ailleurs proche de Néron, puisqu'il a été son précepteur. L'action de la pièce se déroule au moment où Néron veut se défaire d'Octavie pour épouser sa nouvelle favorite, Poppée. Burrhus est mort, et Sénèque tente en vain de raisonner son maître. À l'acte III, Agrippine revient des enfers pour déplorer les crimes de son fils.

Le spectre d'Agrippine

La terre s'entrouvre
Mes pas quittent les ombres
Mon bras rougi porte
Le flambeau du Styx[1]
Le flambeau des noces de sang
Puisse-t-il éclairer de sa flamme

---

1. **Styx** : dans la mythologie grecque, fleuve qui sépare le monde terrestre des enfers.

Le mariage de Poppée
Puisse-t-il éclairer Poppée dans les bras de mon fils !
Et moi la mère
Moi la douleur
Je ferai de ces flammes
Un bûcher pour ma vengeance

Parmi les ombres ce qui me reste
Ce qui demeure
C'est le souvenir de mon assassinat
Le matricide
Mon ombre attend la vengeance
Et la mémoire me pèse
[…]

J'aimais mon fils
Je lui ai donné le monde
Maudit soit mon amour
Mon châtiment

Un mort harcèle mon ombre
C'est mon époux
Il demande le meurtrier de son fils
La vengeance de l'Érinys[1] est prête
Elle lui prépare
La mort des tyrans, la mort des monstres
Des coups de fouet, une fuite honteuse
[…]

Je voudrais
Que des bêtes sauvages aient déchiré mes entrailles
Avant ta naissance, avant ton enfance
Tu serais mort sans t'en rendre compte
Sans crime, innocent !

---

1. **Érinys** : dans la mythologie latine, déesse du remords qui poursuit les criminels. Le mot se trouve souvent au pluriel. On parle aussi de « furies » pour désigner ces divinités.

[...]
Tu aurais vu tes ancêtres, ton père
Tant de héros renommés
Mais à présent tu es leur honte
Leur deuil à jamais !
Moi aussi je suis leur honte leur deuil
Puisque je suis la mère d'un monstre
Où cacher mon visage
Dans le royaume des ombres ?
Où donc ?
Trois fois j'ai fait le malheur des miens

Sénèque, *Octavie* [Ier siècle après J.-C.], acte III, scène 1, trad. du latin par P. Vesperini, L'Arche Éditeur, 2004.

Suétone, *Vie des douze Césars*

Dans la *Vie des douze Césars*, Suétone (Ier-IIe siècle après J.-C.) écrit la biographie de tous les empereurs issus de la lignée de Jules César. Bien qu'on ait pu dire de Suétone qu'il ne respectait pas à la lettre la vérité historique, ses portraits impériaux ont marqué les siècles. La représentation d'un Néron cruel et sanguinaire qu'a retenue l'histoire est directement héritée de ses textes.

Jaloux de Britannicus, qui avait une voix plus agréable que la sienne, et craignant d'autre part qu'il ne le supplantât[1] un jour dans la faveur du peuple, grâce au souvenir de son père, il le fit empoisonner. Le poison fut donné par une certaine Locuste, qui en avait découvert de toutes sortes, mais, comme il agissait plus lentement qu'il ne l'attendait, provoquant chez Britannicus une simple diarrhée, il fit venir cette femme et la frappa de ses propres mains, en lui reprochant de lui avoir donné une médecine au lieu d'un poison ; comme Locuste alléguait[2] qu'elle lui en avait remis une trop faible dose pour dissimuler un crime si odieux, il dit : « Bien sûr, j'ai peur de la loi Julia ! » et il la contraignit à faire

1. **Supplantât** : remplaçât.
2. **Alléguait** : prétendait.

cuire sous ses yeux, dans sa chambre, un poison aussi prompt que possible et même foudroyant. Ensuite, il l'essaya sur un chevreau, mais comme cet animal avait encore vécu cinq heures, il le fit recuire plusieurs fois et présenter à un jeune porc : celui-ci étant mort sur-le-champ, il ordonna de porter le poison dans la salle à manger et de le faire boire à Britannicus qui dînait avec lui. Britannicus étant tombé aussitôt après l'avoir goûté, Néron dit aux convives que c'était une de ses crises habituelles d'épilepsie ; puis, le lendemain, il le fit ensevelir à la hâte et sans pompe, sous une pluie torrentielle. Quant à Locuste, pour prix de ses services, il lui donna l'impunité, de vastes domaines, et même des élèves.

Excédé de voir sa mère exercer rigoureusement son contrôle et sa critique sur ses paroles et sur ses actes, Néron se borna d'abord à lui faire craindre, plusieurs fois de l'accabler sous la haine publique [...]. Mais, terrifié par ses menaces et par ses emportements, il résolut de la faire périr ; par trois fois il essaya de l'empoisonner, mais voyant qu'elle s'était munie d'antidotes, il fit agencer les lambris de son plafond de telle manière que le jeu d'un mécanisme devait les faire tomber sur elle pendant son sommeil. Ses complices ayant mal gardé le secret, il imagina un bateau pouvant se disloquer [...]. Feignant une réconciliation, il l'invita par une lettre des plus affectueuses à venir célébrer avec lui à Baïes[1] les fêtes de Minerve[2] ; [...] il prolongea le festin, puis, pour son retour à Baules, il lui offrit le navire truqué à la place du sien, mis hors d'usage, la reconduisit gaîment, et même lui baisa la poitrine au moment de la quitter. Il passa le reste de la nuit à veiller dans une grande agitation, en attendant l'issue de l'entreprise ; mais lorsqu'il sut que tout avait tourné autrement et qu'Agrippine s'était sauvée à la nage, ne sachant que résoudre[3] [...] [il] donna l'ordre [...] de mettre à mort sa mère. [...] On ajoute, et non sans garanties, certains détails plus atroces : il serait accouru pour examiner le cadavre de sa mère, aurait palpé ses membres, critiqué ceci, vanté cela, et, entre-temps, pris de soif, se serait mis à

1. **Baïes** : station thermale, au nord de Naples, très fréquentée dans l'Antiquité. Le site antique est en partie submergé aujourd'hui.
2. **Minerve** : dans la mythologie latine, déesse de la guerre, de la sagesse et de l'intelligence.
3. **Résoudre** : penser.

boire. Toutefois, bien que réconforté par les félicitations des soldats, du sénat et du peuple, il ne put jamais, ni sur le moment ni plus tard, étouffer ses remords, et souvent il avoua qu'il était poursuivi par le fantôme de sa mère, par les fouets et les torches ardentes des Furies[1].

Suétone, *Vie des douze Césars* [Ier-IIe siècles après J.-C.], livre VI, trad. du latin par H. Ailloud, Les Belles Lettres, 1999.

Tacite, *Annales*

Racine explique dans sa préface de *Britannicus* qu'il s'est beaucoup inspiré de Tacite (56-117 ap. J.-C.), historien latin. Des pans entiers de son œuvre nous manquent, mais nous pouvons encore lire ses pages sur Néron, qu'il dépeint comme un monstre. Dans l'extrait proposé, il donne une version du meurtre de Britannicus qui diffère légèrement de celle de Suétone.

C'était la coutume que les fils de princes prennent leur repas assis, avec des jeunes nobles du même âge, sous les yeux de leurs proches, à une table qui leur était réservée, et plus frugale. Comme Britannicus y dînait et qu'un serviteur, choisi entre tous à cet effet, goûtait le premier à ce qu'il mangeait et buvait, afin de ne pas manquer à cette règle ou, par la mort de l'un et de l'autre, rendre le crime évident, on imagina la ruse suivante : une boisson encore inoffensive, mais très chaude, et préalablement goûtée, est offerte à Britannicus ; puis, comme il la refusait, parce qu'elle était brûlante, on y verse, dans de l'eau froide, le poison qui se répandit dans tous ses membres de telles manières que la parole, en même temps que le souffle, lui furent ôtés. Le trouble se met parmi ses voisins de table ; ceux qui ne réfléchissent pas s'enfuient de tous côtés, mais ceux qui comprennent plus avant demeurent à leur place, immobiles et les yeux fixés sur Néron. Lui, restant étendu, comme il était, faisant semblant de ne rien savoir, dit que cela arrivait souvent à Britannicus pendant une crise d'épilepsie, une maladie dont il était affligé depuis son enfance, et que, peu à peu, il recouvrerait la vue et les sens. Mais Agrippine laissa transparaître une telle peur, un tel bouleversement d'esprit, bien qu'elle cherchât à en dissimuler l'expression sur son visage, qu'il fut évident qu'elle

---

1. **Furies** : dans la mythologie latine, déesses de la vengeance qui poursuivent inlassablement les criminels. Également appelées « Érinyes ».

était aussi peu au courant qu'Octavie, la sœur de Britannicus : c'est qu'elle comprenait que son ultime recours lui était arraché et que c'était un précédent pour un parricide[1]. Octavie, elle aussi, bien qu'elle fût encore jeune et sans expérience, avait appris à cacher douleur, affection, et tous ses sentiments. Ainsi, après quelques instants de silence, la joie du festin recommença.

La même nuit vit à la fois la mort de Britannicus et son bûcher car on avait fait, d'avance, les préparatifs des funérailles, qui furent très simples. Pourtant, il fut enseveli au Champ de Mars[2], sous des averses si violentes que la foule crut fermement que c'était un signe de la colère divine en face de ce crime, que beaucoup, même parmi les humains, excusaient, en disant que, depuis toujours, la discorde avait régné entre frères et que la royauté ne se partageait pas.

Tacite, *Annales* [IIe siècle après J.-C.], livre XIII,
trad. du latin par P. Grimal, Gallimard, 1990.

Pierre Grimal, *Mémoires d'Agrippine*

En 1992, Pierre Grimal (1912-1996) fait paraître un roman historique dans lequel il décrit l'histoire de Rome du point de vue d'Agrippine. Si ces mémoires sont en partie le fait de l'imagination de l'auteur, le récit qu'il fait de la mort de Britannicus semble conforme à la réalité historique.

Britannicus mourut comme si son existence avait été tranchée par une épée. Nero[3] n'eut pas, pour administrer à son frère la dose fatale, les difficultés que j'avais rencontrées lorsqu'il s'était agi de Claude. […]

Personne, ni au palais ni même dans la ville, n'eut le moindre doute sur la cause réelle de cette mort. Au demeurant, les gens du prince n'avaient guère pris de précautions pour la dissimuler. Circonstance qui ne passa pas inaperçue, les funérailles de

1. **Parricide** : meurtre d'un membre de sa propre famille.
2. **Champ de Mars** : plaine romaine consacrée au dieu de la guerre (Mars), où se tenaient des événements politiques et militaires.
3. **Nero** : nom latin de Néron.

Britannicus eurent lieu le soir même de sa mort, après la tombée de la nuit, et il apparut que tous les préparatifs nécessaires avaient été accomplis déjà au cours de la soirée, à une heure où le jeune prince était encore vivant ! Le bûcher funèbre avait été préparé à l'emplacement réservé à cet effet dans l'enclos du tombeau d'Auguste, et c'est dans le monument de ce dieu que furent déposées les cendres de celui qui était l'un de ses petits-neveux.

Il s'en fallut de peu que le bûcher funèbre ne pût être allumé. Le temps était épouvantable. Nous étions au début de février, à la saison où se produisent tant d'averses violentes. Celle de ce soir-là précipita sur la Ville non seulement des torrents d'eau, mais aussi des rafales de neige, tandis que des éclairs parcouraient le ciel et que se faisait entendre le tonnerre. La colère divine semblait évidente. Contre qui était-elle dirigée ? Était-ce contre Nero lui-même, en raison du crime ? Ou, plus grave encore, contre Rome, théâtre de telles abominations, et qui les tolérait ? Contre moi, peut-être, qui en avais précipité l'exécution ? Mais s'agissait-il vraiment de colère ? Peut-être les divinités voulaient-elles seulement marquer la fin de la famille des princes issus de Livie[1] et, par elle, des Claudii[2]. [...] Nero lui-même avait mis le sceau final sur mon ouvrage en empoisonnant Britannicus.

C'est ainsi que je me rassurai. De son côté Nero adressait aux citoyens un message dans lequel il expliquait que, si les funérailles de son frère avaient été célébrées sans délai, et pendant la nuit, la raison en était la coutume ancienne voulant que les obsèques d'un être jeune soient soustraites à la lumière du jour et ne comportent ni cortège ni éloge funèbre.

Pierre Grimal, *Mémoires d'Agrippine* [1992],
LGF, « Le livre de poche », « Littérature & Documents », 1994.

---

1. Livie : femme du premier empereur de Rome, Auguste, très respectée et divinisée après sa mort par l'empereur Claude.
2. Claudii : l'une des deux grandes familles d'où sont issus les empereurs romains de la dynastie julio-claudienne (14-68 ap. J.-C.), en particulier Claude, le quatrième empereur de Rome, et Néron, son fils adoptif.

Groupement 2

Le témoin caché au théâtre

William Shakespeare, *Hamlet*

Dans sa tragédie *Hamlet*, William Shakespeare (1564-1616) évoque un royaume situé au Danemark. Hamlet est un jeune prince dont le père, le précédent roi, vient de mourir. Il est hanté par le fantôme de ce dernier qui lui ordonne de le venger. Le roi a en effet été tué par la reine Gertrude et par son propre frère, Claudius, devenu roi à son tour. Dans l'extrait proposé, Hamlet accuse sa mère, pendant que le conseiller du roi, Polonius, se dissimule derrière une tenture.

POLONIUS. – Il vient. Tancez le bien ! Dites-lui que ses incartades[1] ont passé les bornes, et que Votre Grâce s'est interposée entre lui et une chaude colère. Moi, j'entre dans le silence dès à présent. Je vous en prie, menez-le rondement.

HAMLET, *dehors*. – Mère ! mère ! mère !

LA REINE. – Je vous le promets. Confiez-vous à moi. Éloignez-vous : je l'entends venir.

Polonius se cache derrière la tapisserie.

Entre Hamlet.

HAMLET. – Me voici, mère ! De quoi s'agit-il ?

LA REINE. – Hamlet, tu as gravement offensé ton père.

HAMLET. – Mère, vous avez gravement offensé mon père.

LA REINE. – Allons, allons ! Votre réponse est le langage d'un extravagant[2].

HAMLET. – Tenez, tenez ! Votre question est le langage d'une coupable.

LA REINE. – Eh bien ! Qu'est-ce à dire, Hamlet ?

HAMLET. – Que me voulez-vous ?

---

1. **Tancez-le** : grondez-le ; **incartades** : écarts de conduite.
2. **Extravagant** : personne qui divague.

LA REINE. – Avez-vous oublié qui je suis ?

HAMLET. – Non, sur la sainte croix ! non. Vous êtes la reine, la femme du frère de votre mari ; et, plût à Dieu qu'il en fût autrement ! Vous êtes ma mère.

LA REINE. – Eh bien ! Je vais vous envoyer des gens qui sauront vous parler.

HAMLET. – Allons, allons ! Asseyez-vous ; vous ne bougerez pas, vous ne sortirez pas, que je ne vous aie présenté un miroir où vous puissiez voir les tréfonds de votre âme.

LA REINE. – Que veux-tu faire ? Tu ne veux pas me tuer ? Au secours ! au secours !

POLONIUS, *derrière la tapisserie.* – Quoi donc ? Holà ! Au secours !

HAMLET, *dégainant.* – Tiens ! un rat ! (*Il donne un coup d'épée dans la tapisserie.*) Mort ! Un ducat[1], qu'il est mort !

POLONIUS, DERRIÈRE LA TAPISSERIE. – Oh ! Il m'a tué. (*Il tombe, et meurt.*)

LA REINE. – Ô mon Dieu, qu'as-tu fait ?

HAMLET. – Ma foi ! Je ne sais pas. Est-ce le roi ? (*Il soulève la tapisserie, et traîne le corps de Polonius.*)

LA REINE. – Oh ! Quelle action insensée et sanglante !

HAMLET. – Une action sanglante ! Presque aussi mauvaise, ma bonne mère, que de tuer un roi et d'épouser son frère.

William Shakespeare, *Hamlet* [1601], acte III, scène 4, trad. de l'anglais par F.-V. Hugo, révisée par Y. Florenne et É. Duret, LGF, « Le livre de poche », 1984.

1. **Ducat** : ancienne monnaie, utilisée en Europe jusqu'au début du XXe siècle.

Victor Hugo, *Le roi s'amuse*

Le roi s'amuse est une pièce de Victor Hugo (1802-1885) représentée pour la première fois en 1832. Prônant le mélange des genres, l'auteur n'hésite pas à introduire une tonalité comique dans ses drames. C'est le cas dans cet extrait où le roi, caché, encourage la dame de compagnie de la jeune et belle Blanche à vanter ses mérites en échange d'une somme d'argent.

BLANCHE,
pensive, écoutant les pas de son père qui s'éloigne.

J'ai du remords pourtant!

DAME BÉRARDE

Du remords! et pourquoi?

BLANCHE

Comme à la moindre chose il s'effraie et s'alarme!
En partant, dans ses yeux j'ai vu luire une larme.
Pauvre père! Si bon! J'aurais dû l'avertir
Que le dimanche, à l'heure où nous pouvons sortir,
Un jeune homme nous suit. Tu sais, ce beau jeune homme?

DAME BÉRARDE

Pourquoi donc lui conter cela, madame? En somme
Votre père est un peu sauvage et singulier
Vous haïssez donc bien ce jeune cavalier?

BLANCHE

Moi, le haïr! Oh! Non. – Hélas! bien au contraire,
Depuis que je l'ai vu, rien ne peut m'en distraire.
Du jour où son regard à mon regard parla,
Le reste n'est plus rien, je le vois toujours là.
Je suis à lui! Vois-tu, je m'en fais une idée...
Il me semble plus grand que tous d'une coudée!
Comme il est brave et doux! Comme il est noble et fier,
Bérarde! Et qu'à cheval il doit avoir bel air!

Dame Bérarde

C'est vrai qu'il est charmant !

Elle passe près du roi, qui lui donne une poignée de pièces d'or, qu'elle empoche.

Blanche

Un tel homme doit être…

Dame Bérarde, *tendant la main au roi, qui lui donne toujours de l'argent.*

Accompli.

Blanche

Dans ses yeux on voit son cœur paraître.
Un grand cœur !

Dame Bérarde

Certes ! un cœur immense !

À chaque mot que dit dame Bérarde, elle tend la main au roi, qui la lui remplit de pièces d'or.

Blanche

Valeureux.

Dame Bérarde,
continuant son manège.

Formidable !

Blanche

Et pourtant… bon.

Dame Bérarde, *tendant la main.*

Tendre !

Blanche

Généreux.

DAME BÉRARDE,
tendant la main.

Magnifique.

BLANCHE,
avec un profond soupir.

Il me plaît !

DAME BÉRARDE,
tendant toujours la main à chaque mot qu'elle dit.

Sa taille est sans pareille !
Ses yeux ! – son front ! – son nez !…

LE ROI, *à part.*

Ô Dieu ! Voilà la vieille
Qui m'admire en détail ! Je suis dévalisé !

BLANCHE

Je t'aime d'en parler aussi bien.

DAME BÉRARDE

Je le sais.

Elle tend la main.
Le roi lui fait signe qu'il n'a plus rien.

[…]

Ce beau jeune homme-là vous aime à la furie.

Le roi ne donne pas.

À part.

Je crois notre homme à sec. – Plus un sou, plus un mot.

Victor Hugo, *Le roi s'amuse* [1832], acte II, scène 4,
Gallimard, « Folio théâtre », 2009.

Alfred de Musset, *On ne badine pas avec l'amour*

Dans *On ne badine pas avec l'amour*, Alfred de Musset (1810-1857) reprend une forme théâtrale mineure, le proverbe, et y applique les préceptes de l'esthétique romantique (écriture lyrique, personnages en proie aux questionnements existentiels, importance du thème de la nature). Dans la dernière scène de la pièce, Camille, une jeune fille qui se méfie des hommes, accepte enfin d'avouer son amour à son cousin Perdican. Mais pour la rendre jalouse, ce dernier a séduit Rosette, la sœur de lait de Camille. L'extrait se situe au moment où Rosette, cachée, assiste à l'entrevue entre Perdican et Camille qui se révèlent enfin leurs sentiments.

CAMILLE. – Qui m'a suivie? Qui parle sous cette voûte? Est-ce toi, Perdican?

PERDICAN. – Insensés[1] que nous sommes! Nous nous aimons. Quel songe avons-nous fait, Camille? Quelles vaines paroles, quelles misérables folies ont passé comme un vent funeste[2] entre nous deux?

[...]

Il la prend dans ses bras.

CAMILLE. – Oui, nous nous aimons, Perdican; laisse-moi le sentir sur ton cœur. Ce Dieu qui nous regarde ne s'en offensera pas; il veut bien que je t'aime; il y a quinze ans qu'il le sait.

PERDICAN. – Chère créature, tu es à moi!

Il l'embrasse; on entend un grand cri derrière l'autel.

CAMILLE. – C'est la voix de ma sœur de lait[3].

PERDICAN. – Comment est-elle ici? Je l'avais laissée dans l'escalier, lorsque tu m'as fait rappeler. Il faut donc qu'elle m'ait suivi sans que je m'en sois aperçu.

CAMILLE. – Entrons dans cette galerie; c'est là qu'on a crié.

---

1. **Insensés**: fous.
2. **Funeste**: de mauvais augure.
3. **Sœur de lait**: fille élevée et allaitée par la même nourrice.

Perdican. – Je ne sais ce que j'éprouve ; il me semble que mes mains sont couvertes de sang.

Camille. – La pauvre enfant nous a sans doute épiés ; elle s'est encore évanouie[1] ; viens, portons-lui secours ; hélas tout cela est cruel.

Perdican. – Non, en vérité, je n'entrerai pas ; je sens un froid mortel qui me paralyse. Vas-y, Camille, et tâche de la ramener. (*Camille sort.*) Je vous en supplie, mon Dieu ! Ne faites pas de moi un meurtrier ! Vous voyez ce qui se passe ; nous sommes deux enfants insensés, et nous avons joué avec la vie et la mort ; mais notre cœur est pur ; ne tuez pas Rosette, Dieu juste ! Je lui trouverai un mari, je réparerai ma faute ; elle est jeune, elle sera riche, elle sera heureuse ; ne faites pas cela, ô Dieu ! Vous pouvez bénir encore quatre de vos enfants. Eh bien ! Camille, qu'y a-t-il ?

Camille rentre.

Camille. – Elle est morte. Adieu, Perdican !

Alfred de Musset, *On ne badine pas avec l'amour* [1834], acte III, scène 8, Belin-Gallimard, « Classico », 2012.

Maurice Maeterlinck, *Pelléas et Mélisande*

Représenté pour la première fois en 1893, *Pelléas et Mélisande* de Maurice Maeterlinck (1862-1949) est un drame symboliste, genre qui naît à la fin du XIXe siècle. L'histoire de *Pelléas et Mélisande* n'est pas située dans un cadre spatio-temporel défini. Mélisande est mariée à Golaud, mais elle aime secrètement Pelléas, le frère de son mari. L'extrait correspond au moment où les deux jeunes gens s'avouent enfin leur amour sans se rendre compte que Golaud les observe en fait, caché derrière un arbre.

Mélisande. – Il y a quelqu'un derrière nous !...

Pelléas. – Je ne vois personne...

Mélisande. – J'ai entendu du bruit...

---

1. Dans une scène précédente, Rosette, cachée, s'était évanouie en entendant Perdican dire à Camille qu'il l'aimait.

Pelléas. – Je n'entends que ton cœur dans l'obscurité…

Mélisande. – J'ai entendu craquer les feuilles mortes…

Pelléas. – C'est le vent qui s'est tu tout à coup… Il est tombé pendant que nous nous embrassions…

Mélisande. – Comme nos ombres sont grandes ce soir !…

Pelléas. – Elles s'enlacent jusqu'au fond du jardin… Oh ! Qu'elles s'embrassent loin de nous !… Regarde ! Regarde !…

Mélisande, *d'une voix étouffée.* – A-a-h ! – Il est derrière un arbre !

Pelléas. – Qui ?

Mélisande. – Golaud !

Pelléas. – Golaud ? – où donc ? – je ne vois rien…

Mélisande. – Là… au bout de nos ombres…

Pelléas. – Oui, oui ; je l'ai vu… Ne nous retournons pas brusquement…

Mélisande. – Il a son épée…

Pelléas. – Je n'ai pas la mienne…

Mélisande. – Il a vu que nous nous embrassions…

Pelléas. – Il ne sait pas que nous l'avons vu… Ne bouge pas ; ne tourne pas la tête… Il se précipiterait… Il restera là tant qu'il croira que nous ne savons pas… Il nous observe… Il est encore immobile… Va-t'en, va-t'en tout de suite par ici… Je l'attendrai… Je l'arrêterai…

Mélisande. – Non, non, non !…

Pelléas. – Va-t'en ! Va-t'en ! Il a tout vu !… Il nous tuera !…

Mélisande. – Tant mieux ! Tant mieux ! Tant mieux !…

Pelléas. – Il vient ! Il vient !… Ta bouche !… Ta bouche !…

Mélisande. – Oui !… oui !… oui !…

Ils s'embrassent éperdument.

Pelléas. – Oh ! Oh ! Toutes les étoiles tombent !…

Mélisande. – Sur moi aussi ! Sur moi aussi !…

Pelléas. – Encore ! Encore !... Donne ! Donne !...

Mélisande. – Toute ! Toute ! Toute !...

Golaud se précipite sur eux l'épée à la main, et frappe Pelléas, qui tombe au bord de la fontaine. Mélisande fuit épouvantée.

Mélisande, *fuyant*. – Oh ! Oh ! Je n'ai pas de courage !... Je n'ai pas de courage !...

Golaud la poursuit à travers le bois, en silence.

Maurice Maeterlinck, *Pelléas et Mélisande* [1893], acte IV, scène 4, Éditions Labor, 1992.

Edmond Rostand, *Cyrano de Bergerac*

Dans sa pièce *Cyrano de Bergerac*, Edmond Rostand (1868-1918) présente un triangle amoureux: Christian aime Roxane et veut l'épouser; son ami, Cyrano, personnage plein d'esprit et brillant, l'aide dans sa démarche. Mais à mesure que l'intrigue progresse, il prend conscience de ses propres sentiments à l'égard de Roxane. Dans cette scène, Cyrano, caché, souffle à son ami des mots d'amour et avoue ainsi, par ce double langage, son amour à Roxane.

Roxane,
entrouvrant sa fenêtre

Qui donc m'appelle ?

Christian

Moi.

Roxane

Qui, moi ?

Christian

Christian.

Roxane, *avec dédain*

C'est vous.

CHRISTIAN

Je voudrais vous parler.

CYRANO, *sous le balcon, à Christian*

Bien. Bien. Presque à voix basse.

ROXANE

Non ! Vous parlez trop mal. Allez-vous-en !

CHRISTIAN

De grâce !…

ROXANE

Non ! Vous ne m'aimez plus !

CHRISTIAN, *à qui Cyrano souffle ses mots*

M'accuser, – justes dieux ! –
De n'aimer plus… quand… j'aime plus !

ROXANE, *qui allait refermer sa fenêtre, s'arrêtant*

Tiens, mais c'est mieux !

CHRISTIAN, *même jeu*

L'amour grandit bercé dans mon âme inquiète…
Que ce… cruel marmot prit pour… barcelonnette[1] !

ROXANE, *s'avançant sur le balcon*

C'est mieux ! – Mais, puisqu'il est cruel, vous fûtes sot
De ne pas, cet amour, l'étouffer au berceau !

CHRISTIAN, *même jeu*

Aussi l'ai-je tenté, mais… tentative nulle :
Ce… nouveau-né, Madame, est un petit… Hercule.

ROXANE

C'est mieux !

---

1. **Marmot** : petit garçon ; **barcelonnette** : petit berceau.

CHRISTIAN, *même jeu*

De sorte qu'il... strangula[1] comme rien...
Les deux serpents... Orgueil et... Doute.

ROXANE, *s'accoudant au balcon*

Ah ! C'est très bien.

– Mais pourquoi parlez-vous de façon peu hâtive ?
Auriez-vous donc la goutte à l'imaginative[2] ?

CYRANO, *tirant Christian sous le balcon, et se glissant à sa place*

Chut ! Cela devient trop difficile !...

ROXANE

Aujourd'hui...
Vos mots sont hésitants. Pourquoi ?

CYRANO, *parlant à mi-voix, comme Christian*

C'est qu'il fait nuit,
Dans cette ombre, à tâtons, ils cherchent votre oreille.

ROXANE

Les miens n'éprouvent pas difficulté pareille.

CYRANO

Ils trouvent tout de suite ? Oh ! Cela va de soi,
Puisque c'est dans mon cœur, eux, que je les reçois ;
Or, moi, j'ai le cœur grand, vous, l'oreille petite.
D'ailleurs vos mots, à vous, descendent : ils vont vite.
Les miens montent, Madame : il leur faut plus de temps !

ROXANE

Mais ils montent bien mieux depuis quelques instants.

---

1. **Strangula** : étrangla.
2. **La goutte à l'imaginative** : l'imagination pleine de rhumatismes.

CYRANO

De cette gymnastique, ils ont pris l'habitude !

ROXANE

Je vous parle, en effet, d'une vraie altitude !

CYRANO

Certes, et vous me tueriez si de cette hauteur
Vous me laissiez tomber un mot dur sur le cœur.

ROXANE, *avec un mouvement*

Je descends.

CYRANO, *vivement*

Non !

ROXANE,
lui montrant le banc qui est sous le balcon

Grimpez sur le banc, alors, vite !

CYRANO,
reculant avec effroi dans la nuit

Non !

ROXANE

Comment… non ?

Edmond Rostand, *Cyrano de Bergerac* [1897], acte III, scène 7,
Belin-Gallimard, « Classico », 2018.

Questions sur les groupements de textes

■ Les crimes de Néron

1. Dans ce groupement, chaque texte insiste sur le fait que les crimes de Néron ne sauraient rester impunis. Montrez comment chaque auteur exprime cette idée.

2. Rendez-vous sur le site **www.liviaaugustae.fr/5-categorie-11648358.html** et visualisez les différentes représentations artistiques de Néron. Observez ensuite plus précisément l'œuvre du peintre polonais Jan Styka, *Néron à Baïes*: décrivez le tableau et dites ce qui suggère la cruauté du personnage.

■ Le témoin caché au théâtre

1. Les textes du groupement présentent une situation dramatique identique. Pourtant, celle-ci est chaque fois traitée différemment. Précisez pour chaque extrait le registre employé et présentez la fonction d'un tel dispositif scénique.

2. Faites une brève recherche sur *Le Mariage de Figaro* de Beaumarchais: cherchez la date de la pièce, notez le nom des personnages et les liens qui les unissent, et résumez l'intrigue principale de la pièce. Lisez ensuite la scène où des témoins cachés assistent à l'entrevue de Suzanne et Bazile (acte I, scène 9) puis rendez-vous sur la page du site Gallica **http://gallica.bnf.fr/ark:/12148/btv1b2200085f/f1.item** pour observer la gravure illustrant cette scène. Décrivez cette image et expliquez quels aspects de la scène sont mis en valeur.

Vers l'écrit du Bac

L'épreuve écrite du Bac de français s'appuie sur un corpus (ensemble de textes et de documents iconographiques). Le sujet se compose de deux parties : une ou deux questions portant sur le corpus puis trois travaux d'écriture au choix (commentaire, dissertation, écriture d'invention).

Sujet **Figures du pouvoir**

☛ La tragédie et la comédie au XVIIe siècle : le classicisme

Corpus

Texte A	Corneille, *Cinna*
Texte B	Racine, *Andromaque*
Texte C	Racine, *Britannicus*
Texte D	Racine, *Bajazet*
Annexe	Mise en scène de *Britannicus* par J.-L. Martinelli (théâtre des Amandiers, 2012)

Texte A

Corneille, *Cinna* (1639)

L'empereur Auguste (aussi appelé Octave) vient de découvrir que son ami Cinna fait partie d'une conspiration contre lui. En proie aux tourments, il s'interroge sur le sens de l'exercice du pouvoir.

AUGUSTE, *seul.*

Ciel ! à qui voulez-vous désormais que je fie
Les secrets de mon âme et le soin de ma vie ?
Reprenez le pouvoir que vous m'avez commis,
Si donnant des sujets il ôte les amis,
Si tel est le destin des grandeurs souveraines
Que leurs plus grands bienfaits n'attirent que des haines,
Et si votre rigueur les condamne à chérir
Ceux que vous animez à les faire périr.
[…]
Punissons l'assassin, proscrivons les complices.
Mais quoi ! Toujours du sang, et toujours des supplices !
Ma cruauté se lasse, et ne peut s'arrêter ;
Je veux me faire craindre et ne fais qu'irriter.
Rome a pour ma ruine une hydre[1] trop fertile :
Une tête coupée en fait renaître mille,
Et le sang répandu de mille conjurés[2]
Rends mes jours plus maudits, et non plus assurés.
Octave, n'attends plus le coup d'un nouveau Brute[3] ;
Meurs, et dérobe-lui la gloire de ta chute ;
Meurs ; tu ferais pour vivre un lâche et vain effort,
Si tant de gens de cœur font des vœux pour ta mort,
Et si tout ce que Rome a d'illustre jeunesse
Pour te faire périr tour à tour s'intéresse ;
Meurs, puisque c'est un mal que tu ne peux guérir ;
Meurs enfin, puisqu'il faut ou tout perdre, ou mourir.

---

1. **Hydre** : créature de la mythologie grecque ; serpent monstrueux à sept têtes.
2. **Conjurés** : membres d'une conjuration, d'un complot.
3. **Brute, ou Brutus** (85-42 av. J.-C.) : sénateur romain, proche de Jules César, qui participa à l'assassinat de ce dernier.

La vie est peu de chose, et le peu qui t'en reste
Ne vaut pas l'acheter par un prix si funeste.
Éteins-en le flambeau dans le sang de l'ingrat,
À toi-même en mourant immole ce perfide[1];
Contentant ses désirs, punis son parricide;
Fais un tourment pour lui de ton propre trépas,
En faisant qu'il le voie et n'en jouisse pas:
Mais jouissons plutôt nous-mêmes de sa peine;
Et si Rome nous hait triomphons de sa haine.
Ô Romains! ô vengeance! ô pouvoir absolu!
Ô rigoureux combat d'un cœur irrésolu
Qui fuit en même temps tout ce qu'il se propose!
D'un prince malheureux ordonnez quelque chose.
Qui des deux dois-je suivre, et duquel m'éloigner?
Ou laissez-moi périr, ou laissez-moi régner.

Corneille, *Cinna*, acte IV, scène 2.

Texte B

Racine, *Andromaque* (1667)

Le roi grec Pyrrhus, qui devait épouser Hermione, s'éprend de sa captive troyenne, Andromaque. Celle-ci est la veuve d'Hector et la mère d'Astyanax. Elle refuse d'épouser Pyrrhus par fidélité à la mémoire de son mari et de son peuple. Pour la contraindre d'accepter cette union, Pyrrhus finit par user de la menace: si elle persiste à repousser son offre, il fera tuer son fils.

PYRRHUS

Madame, demeurez.
On peut vous rendre encor ce fils que vous pleurez.
Oui, je sens à regret qu'en excitant vos larmes
Je ne fais contre moi que vous donner des armes.
Je croyais apporter plus de haine en ces lieux.
Mais, Madame, du moins tournez vers moi les yeux
Voyez si mes regards sont d'un juge sévère,
S'ils sont d'un ennemi qui cherche à vous déplaire.

1. **Perfide**: traître.

Pourquoi me forcez-vous vous-même à vous trahir ?
Au nom de votre fils, cessons de nous haïr.
À le sauver enfin c'est moi qui vous convie.
Faut-il que mes soupirs vous demandent sa vie ?
Faut-il qu'en sa faveur j'embrasse vos genoux ?
Pour la dernière fois, sauvez-le, sauvez-nous.
Je sais de quels serments je romps pour vous les chaînes,
Combien je vais sur moi faire éclater de haines.
Je renvoie Hermione, et je mets sur son front,
Au lieu de ma couronne, un éternel affront.
Je vous conduis au temple où son hymen[1] s'apprête
Je vous ceins[2] du bandeau préparé pour sa tête.
Mais ce n'est plus, Madame, une offre à dédaigner :
Je vous le dis, il faut ou périr ou régner.
Mon cœur, désespéré d'un an d'ingratitude.
Ne peut plus de son sort souffrir l'incertitude.
C'est craindre, menacer, et gémir trop longtemps.
Je meurs si je vous perds ; mais je meurs si j'attends
Songez-y : je vous laisse, et je viendrai vous prendre
Pour vous mener au temple où ce fils doit m'attendre ;
Et là vous me verrez, soumis ou furieux,
Vous couronner, Madame, ou le perdre à vos yeux.

Racine, *Andromaque*, acte III, scène 7.

Texte C

Racine, *Britannicus* (1669)

NÉRON

Et ce sont ces plaisirs, et ces pleurs que j'envie,
Que tout autre que lui me paierait de sa vie.
Mais je garde à ce prince un traitement plus doux :
Madame, il va bientôt paraître devant vous.

---

1. **Hymen** : mariage.
2. **Je vous ceins** : j'attache sur vous.

JUNIE

Ah, Seigneur ! vos vertus m'ont toujours rassurée.

NÉRON

Je pouvais de ces lieux lui défendre l'entrée ;
Mais, Madame, je veux prévenir le danger
Où son ressentiment le pourrait engager.
Je ne veux point le perdre : il vaut mieux que lui-même
Entende son arrêt[1] de la bouche qu'il aime.
Si ses jours vous sont chers, éloignez-le de vous,
Sans qu'il ait aucun lieu de me croire jaloux.
De son bannissement prenez sur vous l'offense[2],
Et soit par vos discours, soit par votre silence,
Du moins par vos froideurs, faites-lui concevoir
Qu'il doit porter ailleurs ses vœux et son espoir.

JUNIE

Moi ! que je lui prononce un arrêt si sévère ?
Ma bouche mille fois lui jura le contraire.
Quand même jusque-là je pourrais me trahir,
Mes yeux lui défendront, Seigneur, de m'obéir.

NÉRON

Caché près de ces lieux, je vous verrai, Madame.
Renfermez votre amour dans le fond de votre âme
Vous n'aurez point pour moi de langages secrets :
J'entendrai des regards que vous croirez muets,
Et sa perte sera l'infaillible salaire[3]
D'un geste ou d'un soupir échappé pour lui plaire.

JUNIE

Hélas ! si j'ose encor former quelques souhaits,
Seigneur, permettez-moi de ne le voir jamais !

Racine, *Britannicus*, acte II, scène 3.

---

1. **Arrêt** : décision (de rompre avec Junie).
2. **L'offense** : la responsabilité de cette décision.
3. **L'infaillible salaire** : le prix à payer.

Texte D

Racine, *Bajazet* (1672)

La favorite du sultan Amurat, Roxane, cherche à le détrôner en épousant son frère, Bajazet. Mais ce dernier aime Atalide. Furieuse et humiliée, Roxane exige alors la mort de la jeune fille. Bajazet refuse et sera exécuté par les gardes qui veillent au dehors.

ROXANE

Et que pourrais-tu faire ?
Sans l'offre de ton cœur par où peux-tu me plaire ?
Quels seraient de tes vœux les inutiles fruits ?
Ne te souvient-il plus de tout ce que je suis ?
Maîtresse du Sérail, arbitre de ta vie,
Et même de l'État, qu'Amurat me confie,
Sultane, et ce qu'en vain j'ai cru trouver en toi,
Souveraine d'un cœur qui n'eût aimé que moi :
Dans ce comble de gloire où je suis arrivée,
À quel indigne honneur m'avais-tu réservée ?
Traînerais-je en ces lieux un sort infortuné,
Vil rebut d'un ingrat que j'aurais couronné,
De mon rang descendue, à mille autres égale,
Ou la première esclave enfin de ma rivale ?
Laissons ces vains discours ; et sans m'importuner,
Pour la dernière fois, veux-tu vivre et régner ?
J'ai l'ordre d'Amurat, et je puis t'y soustraire.
Mais tu n'as qu'un moment. Parle.

BAJAZET

Que faut-il faire ?

ROXANE

Ma rivale est ici. Suis-moi sans différer[1].
Dans les mains des muets[2] viens la voir expirer.
Et libre d'un amour à ta gloire funeste,
Viens m'engager ta foi : le temps fera le reste.

---

1. **Sans différer** : sans attendre.
2. **Muets** : esclaves muets.

Ta grâce est à ce prix, si tu veux l'obtenir.

BAJAZET

Je ne l'accepterais que pour vous en punir,
Que pour faire éclater aux yeux de tout l'Empire
L'horreur et le mépris que cette offre m'inspire.
Mais à quelle fureur me laissant emporter,
Contre ses tristes jours vais-je vous irriter?
De mes emportements elle n'est point complice,
Ni de mon amour même et de mon injustice.
Loin de me retenir par des conseils jaloux,
Elle me conjurait[1] de me donner à vous.
En un mot, séparez ses vertus de mon crime.
Poursuivez, s'il le faut, un courroux légitime,
Aux ordres d'Amurat hâtez-vous d'obéir;
Mais laissez-moi du moins mourir sans vous haïr.
Amurat avec moi ne l'a point condamnée:
Épargnez une vie assez infortunée.
Ajoutez cette grâce à tant d'autres bontés,
Madame. Et si jamais je vous fus cher…

ROXANE

Sortez.

Racine, *Bajazet*, acte V, scène 4.

Annexe

Mise en scène de *Britannicus* par J.-L. Martinelli (théâtre des Amandiers, 2012)

➡ **Image reproduite en début d'ouvrage, au verso de la couverture.**

1. **Conjurait**: suppliait.

■ *Questions sur le corpus*

(4 points pour les séries générales ou 6 points pour les séries technologiques)

1. Comment l'usage du pouvoir est-il présenté dans chacun des extraits et dans le document en annexe ? Vous répondrez à cette question en vous appuyant sur des citations précises des textes.
2. Comment s'exprime la dimension tragique de ces textes ?

■ *Travaux d'écriture*

(16 points pour les séries générales ou 14 points pour les séries technologiques)

Commentaire (séries générales)

Vous commenterez l'extrait de *Bajazet* de Racine (texte D).

Commentaire (séries technologiques)

Vous commenterez l'extrait *d'Andromaque* de Racine (texte B).
Vous pourrez vous inspirer du parcours de lecture suivant :
– Dans un premier temps, vous montrerez comment Pyrrhus cherche à émouvoir Andromaque.
– Dans un second temps, vous expliquerez en quoi le roi Pyrrhus semble ici en position de faiblesse.

Dissertation

« Les comédies ne sont faites que pour être jouées », écrit Molière dans la préface de *L'Amour médecin* (1665). Pensez-vous que le théâtre n'ait d'intérêt que dans le cadre d'une représentation sur scène ? Vous répondrez à cette question au cours d'un développement organisé et illustré par l'analyse d'exemples précis en vous appuyant sur le document annexe du corpus, les œuvres vues en classe et sur vos connaissances personnelles.

Écriture d'invention

Au cours d'une lecture avec les autres comédiens, un acteur qui incarne Cinna explique comment il conçoit son rôle et expose ses choix d'interprétation (intonation, mimiques, déplacements sur la scène, etc.). En vous appuyant sur des citations du texte A, rédigez le discours qu'il leur tient en prenant soin de développer ses arguments.

Repères historiques

Ce glossaire reprend les principaux personnages de l'Antiquité rencontrés au cours de la lecture.

LES ÉCRIVAINS ET LES PHILOSOPHES

Aristote (IVe siècle av. J.-C.): philosophe grec. Sa *Poétique* a inspiré les théoriciens du théâtre du XVIIe siècle, notamment sur la forme et la fonction de la tragédie.

Aulu-Gelle (IIe siècle ap. J.-C.): auteur latin des *Nuits attiques*, un ouvrage d'érudition comprenant des anecdotes portant sur des sujets très divers.

Cicéron (Ier siècle av. J.-C.): orateur, avocat, homme politique et philosophe latin. Auteur de très nombreux discours politiques, de plaidoyers et de traités rhétoriques et philosophiques.

Homère (VIIIe siècle av. J.-C.): poète grec, à qui l'on attribue deux épopées majeures: *L'Iliade* et *L'Odyssée*.

Sénèque (Ier siècle ap. J.-C.): philosophe latin. Précepteur de Néron, qui lui ordonne de se suicider en 65.

Sophocle (Ve siècle av. J.-C.): auteur de tragédies grecques. La pièce mentionnée par Racine dans la préface, *Antigone* (442 av. J.-C.), raconte l'histoire d'Antigone, condamnée à mort par le roi Créon, malgré les supplications d'Hémon, son fiancé. La tragédie s'achève sur les suicides d'Antigone, d'Hémon et même d'Eurydice, l'épouse du roi.

Tacite (v. 55-120 ap. J.-C.): historien et sénateur latin, dont l'œuvre la plus importante, les *Annales*, constitue la source principale de Racine lors de sa rédaction de *Britannicus*.

Térence (IIe siècle av. J.-C.): auteur de comédies latines, où la nature humaine est explorée avec finesse.

Virgile (Ier siècle av. J.-C.): poète latin. Auteur de l'épopée *L'Énéide*, qui revient sur les origines de Rome. Pour cette raison, il est souvent comparé à Homère.

LES PERSONNAGES HISTORIQUES

Agrippa (63-14 av. J.-C.): petit-fils d'Auguste, il aurait pu être empereur à la place de Tibère (adopté par Auguste), mais il tombe rapidement en disgrâce et il est tué en 14, à la mort d'Auguste.

Agrippine (15-59 ap. J.-C.): épouse de Claude, quatrième empereur romain, et mère de Néron, cinquième empereur de Rome. Pour permettre à son fils d'accéder au trône, elle multiplie les stratagèmes et les crimes et fait ainsi empoisonner son mari.

Auguste (ou Octave) (63-14 av. J.-C.): fils adoptif de Jules César et premier empereur de Rome depuis l'an 27 av. J.-C. Il accède au pouvoir en pleine guerre civile qui suit l'assassinat de Jules César mais il parvient à restaurer la paix. Il a aussi favorisé les artistes.

Britannicus (41-55 ap. J.-C.): fils de l'empereur Claude et de Messaline. Il devient le frère de Néron quand ce dernier est adopté par Claude. Il meurt empoisonné par Néron en 55.

Burrhus (1-62 ap. J.-C.): haut fonctionnaire du temps de l'empereur Claude, il devient, à la mort de ce dernier, le gouverneur vertueux de Néron.

Caïus (Caïus Augustus Germanicus dit Caligula) (12-41 ap. J.-C.): troisième empereur, il succède à Tibère en 37. Devenu rapidement fou, tyrannique et sanguinaire, il est assassiné en 41.

Claudius / Claude (10 av. J.-C.-54 ap. J.-C.): quatrième empereur, de 41 à 54. Après avoir répudié sa femme Messaline, la mère de Britannicus, il épouse sa nièce, Agrippine, qui lui fait adopter son fils Néron, avant de le faire empoisonner.

Corbulon (7-67 ap. J.-C.): général des armées de Néron. Son action a été unanimement saluée, au point que Néron, y voyant un rival, l'écarte de l'armée avant de lui ordonner de se suicider.

Domitius: il s'agit d'un nom de famille; il faut ainsi distinguer Lucius Domitius Ænobarbus (37-68 ap. J.-C.), autrement dit Néron, et Gnaeus Domitius Ænobarbus (17 av. J.-C.-40 ap. J.-C.), son père.

Germanicus (15 av. J.-C.-19 ap. J.-C.): général, frère aîné de Claude, père d'Agrippine, jouissant d'un très grand prestige auprès des Romains.

Junia Calvina (15-79 ap. J.-C.): accusée par Agrippine d'inceste avec son frère, Silanus; exilée de Rome quand celle-ci épouse Claude, puis rappelée par Néron.

Junia Silana (meurt en 59 ap. J.-C.): femme débauchée, d'abord l'amie, puis l'ennemie d'Agrippine.

Livie (58 av. J.-C.-29 ap. J.-C.): épouse d'Auguste, mère de Tibère. Elle devient le modèle de l'épouse parfaite. L'empereur Claude l'a divinisée.

Locuste (meurt en 69 ap. J.-C.): célèbre empoisonneuse romaine, qui conçoit les poisons utilisés pour tuer Claude, puis Britannicus.

Narcisse (meurt en 54 ap. J.-C.): esclave affranchi, c'est-à-dire libéré, pendant le règne de Claude. Il est alors chargé de responsabilités politiques et devient un proche de l'empereur. Agrippine cherche à l'écarter du pouvoir quand Néron accède au trône. Elle le fait ensuite exécuter.

Néron (37-68 ap. J.-C.): cinquième empereur de l'histoire de Rome, régnant de 54 à 68. Fils d'Agrippine, il accède au pouvoir grâce aux crimes de sa mère; on a retenu de lui qu'il était un empereur sanguinaire, responsable de la mort de son frère Britannicus, de sa mère, ainsi que de nombreuses autres personnes. Il a aussi causé un incendie dans la ville de Rome.

Octavie (40-62 ap. J.-C.): fille de Claude, sœur de Britannicus, première épouse de Néron. Accusée d'être stérile, soupçonnée d'adultère, elle est exilée, puis rappelée à Rome. Enfin, elle est contrainte au suicide sur ordre de Néron.

Pallas (v. 1-63 ap. J.-C.): affranchi par Claude, il occupe des fonctions administratives importantes pendant son règne. Amant d'Agrippine, il est un de ses appuis politiques. Néron le fait tuer en 63.

Silanus (27-49 ap. J.-C.): frère de Junie, promis à Octavie. Accusé d'inceste avec sa sœur, il est démis de ses fonctions de magistrat et contraint au suicide par l'empereur Claude en 49.

Thraséas (meurt en 66 ap. J.-C.): sénateur et philosophe. Néron, qui le respecte au début de son règne, finit par ne plus supporter son mode de vie vertueux qu'il prend pour une provocation. Il lui ordonne de se suicider en 66.

Tibère (42 av. J.-C.-37 ap. J.-C.): deuxième empereur de Rome, fils adoptif d'Auguste, au pouvoir de 14 à 37. Durant son règne, il se retire à Capri et est détesté des Romains.

Vespasien (9-79 ap. J.-C.): empereur de 69 à 79, il ne fait pas partie de la lignée julio-claudienne. Il succède ainsi aux trois empereurs qui régnèrent en 69 après la mort de Néron: Galba, Othon et Vitellius.

Fenêtres sur...

 *Des ouvrages à lire*

D'autres tragédies de Racine

- Racine, *Andromaque* [1667], Belin-Gallimard, « Classico », 2017.
- Racine, *Bérénice* [1670], Belin-Gallimard, « Classico », 2011.
- Racine, *Phèdre* [1677], Belin-Gallimard, « Classico », 2019.

Des tragédies inspirées de l'histoire romaine

- Sénèque, *Octavie* [v. 69 ap. J.-C.], trad. du latin par Pierre Vesperini, L'Arche Éditeur, 2004.
- Corneille, *Cinna* [1639], « Folioplus classique », 2010.
- Albert Camus, *Caligula* [1944], « Folioplus classique », 1993.

Sur l'œuvre de Racine

- Georges Forestier, préface et notices des œuvres de Racine, *Œuvres complètes de Racine*, Gallimard, « Bibliothèque de la Pléiade », 1999.
- Jean-Pierre Battesti et Jean-Charles Chauvet, *Tout Racine*, Larousse, 1999.

Sur la tragédie classique et sur le théâtre

- Christian Biet, *La Tragédie*, Armand Colin, « Cursus », 2010.

Des mises en scène et des films à voir

(Les œuvres citées ci-dessous sont disponibles en DVD.)

Des mises en scène de *Britannicus*

- Mise en scène par Jean Kerchbron pour la télévision, avec Marcelle Ranson, François Chaumette, et Daniel Ivernel, 1959.
- Mise en scène par Didier Zuili, avec Agnès Audiffren, Alain Choquet, Stéphane Dauch, théâtre Gyptis, Marseille, 2011.

Des mises en scène d'autres tragédies

- *Médée* d'Euripide, mise en scène par Jacques Lassalle, avec Isabelle Huppert, théâtre de l'Odéon, Paris, 2001.
- *Phèdre* de Racine, mise en scène par Patrice Chéreau, avec Dominique Blanc, Pascal Greggory et Éric Ruf, théâtre de l'Odéon, Paris, 2003.

Des péplums

- *Quo vadis?* de Mervyn Le Roy, avec Robert Taylor, Deborah Kerr, Peter Ustinov, 1951.
- *Les Week-ends de Néron* de Steno, avec Brigitte Bardot, 1956.

@ Des sites Internet à consulter

Sur Néron

- Un quiz sur Néron: **www.gratumstudium.com/latin/nero.htm**
- Un site sur Néron: **www.mediterranees.net/histoire_romaine/empereurs_1siecle/neron/index.html**

Sur *Britannicus*

- Pour accéder à un index des ressources disponibles sur Britannicus: **http://eduscol.education.fr/theatre/ressources/ressources-auteur/racine/brit**

Glossaire

Alexandrin : vers de douze syllabes, comportant généralement une pause appelée césure, qui le partage en deux hémistiches de six syllabes chacun.

Bienséance : règle du théâtre classique définissant ce qui est considéré, au théâtre, comme convenable et décent, pour ne pas choquer le spectateur (langage des personnages adapté à leur rang ; pas de meurtre, pas de sang ou d'obscénité sur scène).

Caractérisation : ensemble des traits qui définissent un personnage de fiction.

Catharsis : théorie selon laquelle la tragédie doit susciter « terreur et pitié » chez le spectateur, le libérant ainsi des mauvaises pulsions qu'il voit représentées sur scène.

Coup de théâtre : bouleversement brusque et inattendu de la situation dramatique.

Déclamation : façon, propre au XVIIe siècle, de réciter un texte poétique et théâtral, de manière expressive et mélodieuse. Les tragédies de Racine sont conçues pour être déclamées.

Dénouement : fin d'une pièce de théâtre, moment où les conflits sont résolus et où le sort des personnages est fixé.

Didascalies : indications scéniques qui portent sur le décor, les costumes, les gestes ou les intonations.

Exposition : ensemble des scènes du début d'une pièce de théâtre, qui par les indications qu'elles donnent (lieu, temps, raison du conflit) permettent au spectateur de comprendre l'intrigue.

Hypotypose : figure de style qui consiste en une description réaliste et animée d'une scène pour en donner une représentation imagée. La mort de Britannicus, relatée par Burrhus, est une hypotypose.

Intrigue : ensemble des événements qui constituent l'action d'une pièce de théâtre.

Ironie tragique : situation propre à la tragédie, lorsque le personnage croit agir pour son bien mais court en réalité à sa propre perte. Elle est créée par un décalage entre ce que sait le spectateur et ce que sait le personnage de son propre destin.

Monologue : ensemble des paroles prononcées par un personnage seul sur scène, censé s'adresser à lui-même. Si un autre personnage est présent sur scène, même caché, on parle alors de *soliloque*.

Nœud : moment de la pièce, situé après l'exposition, où l'action se complexifie pour constituer un conflit qui ne trouvera une résolution qu'à la fin de la pièce.

Péripétie : événement qui survient au cours de la pièce et qui mène progressivement au dénouement.

Règle des trois unités : règle du théâtre classique imposant, pour plus de vraisemblance, que la pièce ne développe qu'une seule intrigue (unité d'action) dans un seul lieu (unité de lieu) et en une seule journée (unité de temps).

Stichomythie : succession de répliques courtes, constituées d'un seul vers.

Tirade : longue réplique ininterrompue.

Vraisemblance : principe fondateur du théâtre classique selon lequel ce qui est représenté sur scène doit paraître crédible et être conforme aux valeurs de l'époque.

Cet ouvrage a été composé par Palimpseste à Paris.
La pâte à papier utilisée pour la fabrication du papier de cet ouvrage provient de forêts certifiées et gérées durablement.
Iconographie : Any-Claude Médioni.

Imprimé en Espagne par Novoprint (Barcelone)
Dépôt légal : février 2014 – N° d'édition : 70116461-09/Septembre 2021

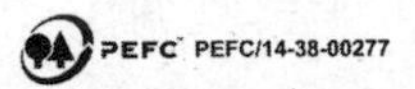